KB182898

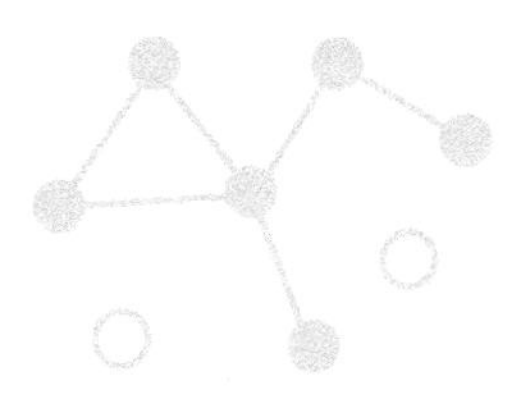

신경생성

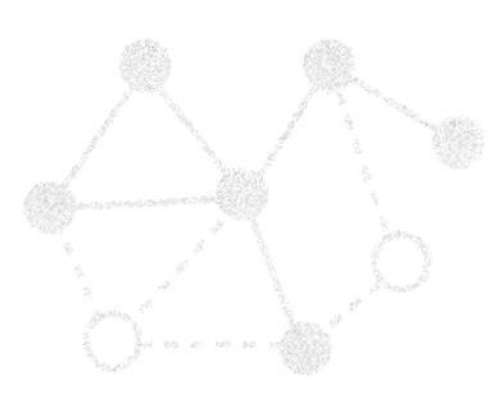

새로운 시냅스 형성

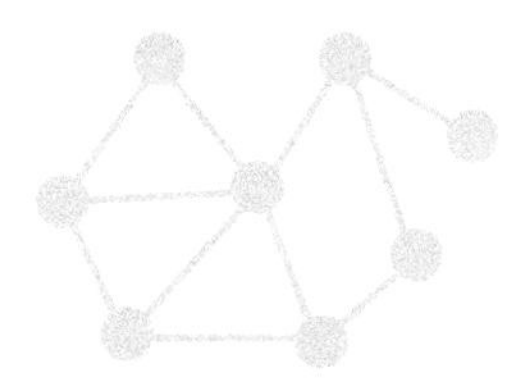

시냅스 연결 강화

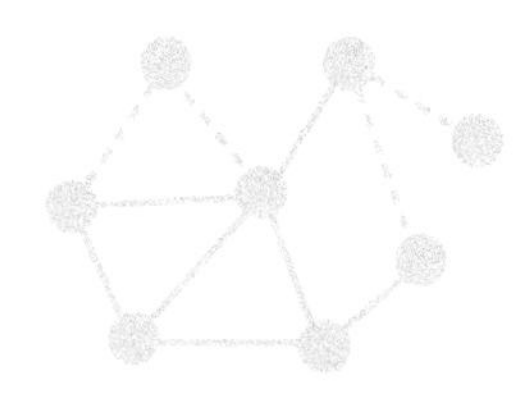

시냅스 연결 약화

BRAIN TRAINING

“국가 공인 브레인트레이너의 두뇌 계발 가이드북”

신경가소성 향상을 위한

브레인 트레이닝

신재한 · 임운나 공저

최근 뇌과학, 인지과학, 신경과학이 발달함에 따라 두뇌 계발 및 발달에 대한 관심이 증가하고 있다. 두뇌 계발 및 발달은 태교시기부터 영유아, 아동, 청소년, 성인, 노인까지 생애주기별로 모두 중요하다. 특히, '신경 가소성(neuroplasticity)'은 우리의 경험이 신경계의 기능적 및 구조적 변형을 일으키는 현상으로서, 태교시기는 물론, 노인까지도 두뇌가 발달되고 변할 수 있다는 근거가 제시되고 있다.

특히, 신경가소성(神經可塑性)은 성장과 재조직을 통해 뇌가 스스로 신경 회로를 바꾸는 능력이기 때문에, 동일한 유전자를 가지고 태어나더라도 후천적인 환경 요인을 따라 특정 방향으로 변화할 수 있다. 이러한 신경가소성은 두뇌 계발 훈련을 통해서 적용될 수 있다. 두뇌 계발 훈련을 브레인트레이닝(brain-training)이라고 하는데, 브레인트레이닝은 좌뇌와 우뇌의 발달을 통한 수평적인 두뇌 통합은 물론, 대뇌피질, 변연계, 뇌간의 발달을 통한 수직적인 두뇌 통합까지도 포함하고 있다.

본 저서는 브레인트레이닝을 위한 구체적인 방법, 기법, 전략을 소개하고 있다. 1부는 브레인트레이닝의 기초 기능, 2부는 브레인트레이닝의 기본 기능, 3부 브레인트레이닝의 심화 기능의 순으로 구성되어 있다. 1부에서는 두뇌 기능 활성화, 정서 관리를 포함하고 2부에서는 시각 주의력, 청각 주의력, 집중력, 기억력을 포함하며 3부에서는 이해력, 문제해결력, 창의성을 포함한다.

각 장별로 세부 내용을 살펴보면 1장은 감각깨우기, 감각통합놀이 등을 포함하는 두뇌기능 활성화를 위한 브레인트레이닝, 2장은 정서인식, 감정정화, 정서조절 등을 포함하는 정서 관리를 위한 브레인트레이닝, 3장은 안구운동, 스피드브레인, 그림 및 행동 관찰하기 등을 포함하는 시각 주의력 향상을 위한 브레인트레이닝, 4장은 듣고 표현하기, 청각적 집중 훈련, 선택적 청각 주의력 훈련, 청각 영상화 훈련 등 청각 주의력 향상을 위한 브레인트레이닝을 포함한다. 또한,

5장은 글자나 이미지를 통한 집중력 훈련, 명상을 통한 집중력 훈련, 기호를 통한 집중력 훈련 등을 포함하는 집중력 향상을 위한 브레인트레이닝, 6장은 감각 기억훈련, 단기 기억훈련, 작업 기억훈련, 장기 기억훈련, 두뇌유형별 적합한 기억훈련, 두뇌통합 기억력 훈련 등 기억력 향상을 위한 브레인트레이닝으로 구성되어 있다. 이외에도 7장은 핵심 단어 및 내용, 문장 파악하기, 핵심 내용 구조화하기, 브레인 맵(brain-map) 만들기 등을 포함하는 이해력 향상을 위한 브레인트레이닝, 8장은 목표 세우기 훈련, 자기 통제 훈련, 실행 및 점검 훈련 등을 포함하는 문제해결력 향상을 위한 브레인트레이닝, 9장은 두뇌 회로 훈련, 몰입 훈련, 내면의식 확장 훈련 등을 포함하는 창의성 향상을 위한 브레인트레이닝으로 구성되어 있다.

본 저서는 뇌과학, 신경과학, 인지과학에 기반하여 두뇌 계발 및 발달을 위한 구체적인 브레인트레이닝 방법, 전략, 기법으로 내용을 구성하였으므로, 태교, 영유아, 아동, 청소년, 성인, 노인 등 생애주기별로 교육, 코칭, 상담 전문가들에게 매우 유용할 뿐만 아니라, 실제 사례를 중심으로 구성되어 있어 누구든지 쉽게 적용할 수 있다. 또한, 본 저서는 두뇌 계발 및 발달을 위해 연구하고 현장에 실천하는 교사, 상담가, 코치 등 다양한 분야 전문가들에게도 많은 도움을 줄 것으로 기대한다. 아무쪼록 본 저서가 브레인트레이닝 방법, 전략, 기법을 실천하는데 기초가 되는 기본 지침서가 되기를 바라는 마음이다. 끝으로 본서 출판에 도움을 주신 내하출판사 가족 여러분께 감사를 드린다.

2021년 9월

신재한, 임운나

제1부

브레인 트레이닝의 **기초 기능**

CHAPTER 01 **두뇌기능 활성화**를 위한 브레인트레이닝

CHAPTER 02 **정서관리**를 위한 브레인트레이닝

제2부

브레인 트레이닝의 **기본 기능**

CHAPTER 03 **시각 주의력 향상**을 위한 브레인트레이닝

CHAPTER 04 **청각 주의력 향상**을 위한 브레인트레이닝

CHAPTER 05 **집중력 향상**을 위한 브레인트레이닝

제3부
브레인
트레이닝의
심화 기능

기억력 향상을 위한 브레인트레이닝

이해력 향상을 위한 브레인트레이닝

문제해결력 향상을 위한 브레인트레이닝

창의성 향상을 위한 브레인트레이닝

BRAIN TRAINING

브레인트레이닝의 기초 기능

제1부 01

CHAPTER

01

두뇌기능 활성화를 위한 브레인트레이닝

SECTION_

01 두뇌 감각 깨우기

01 » 몸-마음-뇌 점검

몸, 마음, 뇌는 서로 연결되어 있다. 몸의 상태, 마음의 상태, 두뇌의 상태를 점검하고 그에 적합한 몸, 마음, 두뇌 훈련을 할 수 있어야 한다.

표 1.1 ▸ **몸-마음-뇌 점검**

구분	활동명	측정기준	평가 기준				
			2	4	6	8	10
몸	한 발로 균형잡기	자세 유지 시간	0~3초	3~5초	5~10초	10~15초	15~20초
	집중박수	집중도	전혀 안 맞음	20% 맞음	50% 맞음	70% 맞음	100% 맞음
	깍지껴서 팔 펴기	팔이 펴진 정도	거의 안 펴짐	약간 펴짐	반 정도 펴짐	반 이상 펴짐	완전히 펴짐
	양손바닥에 닿기	손과 바닥과의 거리	40cm 이상	39~30cm	29~20cm	손가락이 닿음	손바닥이 닿음
	눈감고 제자리걷기	정면 자세 유지	원을 돈다	반원	45도	15도	정면
마음	호흡하기	1분간 호흡수	21회 이상	20~17번	16~13번	12~10번	9번 이하
	들숨날숨 비교하기	들숨 날숨 길이 비교	들숨 〉 날숨 2배	들숨 〉 날숨 1.5배	들숨 = 날숨	들숨 〈 날숨 1.5배	들숨 〈 날숨 2배
뇌	엄지 및 새끼손가락 접고 펴기	좌우뇌 유연성	안 된다	양손 모두 접기 (펴기)	한쪽씩 바꿈	양손 천천히 바꿈	자연스럽게 바꿈
	양손 가위바위보	좌우뇌 유연성	안 된다	양손 모두 접기 (펴기)	한쪽씩 바꿈	양손 천천히 바꿈	자연스럽게 바꿈
	두드리고 쓸어내리기	좌우뇌 유연성	안 된다	양손 모두 접기 (펴기)	한쪽씩 바꿈	양손 천천히 바꿈	자연스럽게 바꿈

02 » 몸-뇌 감각 깨우기

몸 감각 깨우기는 앉았다 일어서기, 머리 두드리기, 푸쉬업, 굴렁쇠 등으로 <표 1.2>와 같이 정리할 수 있다.

표 1.2 ▸ 몸 감각 깨우기 활동

구분	동작 요령
앉았다 일어서기	① 다리를 어깨너비로 벌리고 양팔을 앞으로 뻗어 손목을 꺾는다. ② 숨을 들이마시면서 무릎을 굽혀 내려가고 숨을 내쉬면서 올라온다.
머리 두드리기	① 손가락을 세워 이마에서 뒤통수까지 머리를 쓸어 넘긴다. ② 열 손가락으로 앞머리, 옆머리, 뒷머리로 나눠서 머리 전체를 두드린다.
푸쉬업	① 엎드린 자세에서 두 손을 어깨너비 정도 벌려 바닥을 짚는다. ② 두 발을 모아 발 뒤꿈치를 든 상태에서 팔과 무릎을 곧게 편다. ③ 아랫배에 힘을 주고 팔꿈치를 굽혀 가슴이 바닥에 닿을 정도로 내려간다.
굴렁쇠	① 다리를 펴서 무릎을 세우고 손은 양 무릎을 잡는다. ② 척추가 바닥에 닿도록 위, 아래로 몸을 굴러준다. ③ 일어날 때에는 반동을 주지 않고 아랫배에 힘을 줘서 일어난다.

특히, 두뇌 감각 깨우기는 거미줄 만들기, 회로 그리기, 푸쉬업, 핸드브레이크, 양손으로 모양 그리기, 계단 박수, 건강 박수, 더하기 빼기 박수 등 <표 1.3>과 같이 정리할 수 있다.

표 1.3 ▸ **두뇌 감각 깨우기 활동**

구분	동작 요령
거미줄 만들기	① 엄지손가락과 집게손가락을 붙인다. 오른손 집게손가락은 왼손 엄지손가락과 왼손 집게손가락은 오른손 엄지손가락과 붙여야 한다. ② 이제, 아래 엄지손가락과 손가락을 분리하여 엄지손가락과 손가락 위로 흔들어 올려서 다시 함께 만진다. 이 행동을 5번 반복한다. ③ 방향을 바꾸고 손가락을 아래로 걷기 시작한다. ④ 이제, 다시 걷기 시작하는데 이번에는 가운뎃손가락으로 한다. 이전처럼 5번 반복한다. ⑤ 손가락을 바꾸어가며 행동을 계속한다. 새끼손가락에 도달했을 때 거꾸로 진행하여 다시 집게손가락으로 돌아온다.
회로 그리기	① L자 회로 그림을 어떻게 그리는지 보여준다. 큰 종이에 그릴 수 있도록 한다. ② 그림의 양쪽을 균형 있고 고르게 유지하면서 그림을 위아래로 그린다. 손을 바꾸어 행동이 부드럽고 안정될 때까지 계속 연습한다.
푸쉬업	① 엎드린 자세에서 두 손을 어깨너비 정도 벌려 바닥을 짚는다. ② 두 발을 모아 발 뒤꿈치를 든 상태에서 팔과 무릎을 곧게 편다. ③ 아랫배에 힘을 주고 팔꿈치를 굽혀 가슴이 바닥에 닿을 정도로 내려간다.
핸드 브레이크	① 양손바닥이 마주보도록 벌린다. ② 손뼉치기-오른손 내밀기-왼손을 덮기-양손 끝을 앞으로-오른손 내밀기-손바닥 겹치기-합장-처음으로 ③ 손뼉치기-왼손 내밀기-오른손을 덮기-양손 끝을 앞으로-왼손 내밀기-손바닥 겹치기-합장-처음으로
양손으로 모양 그리기	① 한 손으로 네모 그리고, 다른 손으로 세모 그린다. ② 한 손으로 세모 그리고, 다른 손으로 원 그린다. ③ 한 손으로 네모 그리고, 다른 손으로 원 그린다.
계단 박수	① 1-2-3-3-2-1 ② 1-2-3-4-4-3-2-1 ③ 1-2-3-4-5-5-4-3-2-1
더하기빼기 박수	① 10 만들기 : 강사 4번 - 학습자 6번 ② 10 만들기 : 강사 2번 - 학습자 8번 ③ 10 만들기 : 강사 7번 - 학습자 3번
건강 박수	① 손바닥을 30cm 이상 벌려서 바닥 전체가 마주치게 한다.(10초 동안) ② 웃으면서 손바닥을 30cm 이상 벌려서 바닥 전체가 마주치게 한다.(10초 동안) ③ 웃고 동시에 발바닥을 굴리면서 손바닥을 30cm 이상 벌려서 바닥 전체가 마주치게 한다.(10초 동안)

03 » 뇌체조

뇌체조란 신체 기능과 뇌 기능을 밀접하게 연결시키기 위한 활동으로서 학습과 업무 효율성을 높이기 위해 두뇌기능을 강화하는 간단한 신체 운동 방법이다. 뇌체조는 몸의 각 부위에 있는 근육의 긴장을 없애고 유연하게 풀어줌으로써 마음까지 편안하게 가질 수 있도록 고안된 동작들로 몸과 연결된 뇌 부위를 깨우고 혈액순환을 원활하게 하고 몸과 마음을 이완시키는 것이다. 또한, 뇌체조는 신체의 양 측면을 번갈아 움직이는 동작들을 통하여 뇌량의 발달을 촉진하여 좌, 우뇌를 통합하는데 기여하고, 시냅스 연결을 튼튼하게 만들어줌으로써 신경세포간 정보 전달이 원활해진다.

특히, 뇌체조를 실시하는 경우 주의할 점은 다음과 같다.

첫째, 동작, 의식, 호흡을 일치시킨다. 숨을 들이마시면서 동작을 취하고, 동작을 취하는 동안 호흡을 잠시 멈추었다가, 제자리로 돌아오면서 천천히 숨을 내쉰다.

둘째, 호흡과 체조를 하면서 몸에 의식을 집중하게 한다. 몸의 중심은 아랫배에 두고, 동작을 취했을 때 당기는 부분에 집중한다.

셋째, 뇌체조 동작을 취하면서 몸이 좋아지는 상상을 한다. 호흡을 내쉴 때는 몸 안에 정체되어 있던 탁한 에너지가 날숨과 함께 빠져나간다고 상상한다.

넷째, 자신의 몸 상태에 맞게 너무 무리하지 않게 한다. 무조건 강하게 하는 것보다 몸과 대화한다는 생각으로 몸의 변화나 느낌에 집중하면서 천천히 리듬을 타면서 실시한다.

한편, 뇌체조 방법으로 머리, 목 마사지와 두드리기, 어깨 운동, 팔 벌려 가슴 펴기, 손털기, 손뼉치기, 손바닥 비비기, 온몸 두드리기, 장운동, 단전치기, 온몸 털기 등 여러 종류가 있다.

흔들기(털기)는 체내의 나쁜 에너지를 몸 밖으로 배출하기 위한 동작이다. 에너지는 좋은 에너지와 나쁜 에너지로 나뉘는데, 나쁜 에너지는 한 곳으로 정체되어 에너지의 길을 막는 덩어리로 변한다. 호스 속에 젤리 같은 물질이 꽉 차 있다고 생각해보자. 호스를 계속 흔들면 호스 속의 물질이 서서히 움직여서 결국 호스 밖으로 빠져나오게 된다. 흔들기 동작은 이 원리를 이용해 나쁜 에너지를 몸 밖으로 빼내는 방법이다. 손 털기나 온몸 털기 같은 동작을 계속하면 몸 전체에 쌓여있는 나쁜 에너지가 머리에서부터 손끝, 발끝으로 빠져나가 막힌 경락이 뚫리게 된다. 가볍고 탄력적인 동작을 유도해 몸의 구석구석, 세포 하나하나에 쌓여 있는 노폐물을 털어낸다는 마음으로 한다.

❶ 다리를 어깨 넓이로 벌린 다음 무릎을 살짝 굽힌다.

❷ 상체를 바로 세우고 손을 겨드랑이 밑으로 가져가 손을 위에서 아래로 툭툭 털어준다. 10회씩 반복한다.

❸ 허리를 왼쪽으로 틀어 10회 반복하고, 반대쪽으로도 한다.

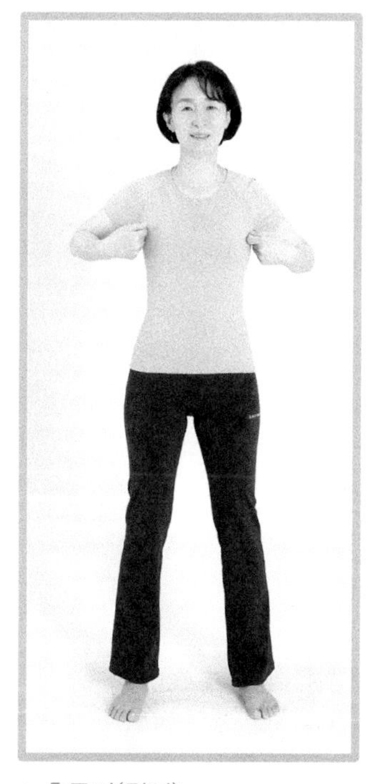

▸ 흔들기(털기)

두드리기는 피부의 혈을 열어주는 동작이다. 12경락을 따라 기가 운행하는 방향으로 몸을 두드리는 것은 인체의 기혈 순환을 활성화시키는 효과적인 동작이다. 팔, 머리, 목, 몸통, 단전 등에 의식을 집중해 가볍게 두드려 주면 온몸의 혈이 열린다.

❶ 왼쪽 어깨 → 팔의 안쪽과 바깥쪽 → 반대쪽 어깨와 팔 → 가슴 → 오장육부 → 신장 → 허리와 엉덩이 뒤쪽 → 다리의 뒤쪽 → 앞쪽 → 옆쪽 → 안쪽 → 단전 등을 순서대로 두드린다.
❷ 단전을 50회 두드리며 마무리한다.
❸ 두드리기 끝나면 손으로 어깨에서 발끝까지 쓸어 내려준다.

▸두드리기

늘이기는 팔과 다리, 척추, 목 등을 최대한 늘여주는 동작이다. 의식적으로 몸을 늘여 주면 근육, 뼈, 경락이 자극을 받아 기혈순환이 원활해진다. 또한 비뚤어진 골격 및 장기, 근육이 늘어났다가 다시 원래의 상태로 돌아가면서 제자리를 찾기 때문에 체형이 교정된다.

❶ 어깨 넓이로 다리를 벌리고 서서 발바닥은 11자로 한다.

❷ 처음 자세에서 숨을 내쉬면서 두 손은 깍지 끼고 손바닥이 위쪽을 향하게 팔을 쭉 펴준다.

❸ 들이마시고 내쉬면서 팔을 내린다. 동일한 동작을 다시 반복한다.

▸ 늘이기

돌리기는 쉽게 에너지가 막히는 관절을 유연하게 하기 위한 동작이다. 손목, 목, 허리, 발목, 고관절 등을 부드럽게 돌려준다. 대표적인 돌리기는 어깨 돌리기와 허리 돌리기 등 <표 1.4>와 같이 실시할 수 있다.

표 1.4 ▸ 돌리기 유형

어깨 돌리기	① 양 손끝이 어깨에 닿을 수 있게 하여 가볍게 돌린다. ② 어깨와 견관절에 집중한다. ③ 중간 중간에 어깨 돌리기를 해주어 몸이 점점 이완되어 풀리고 있음을 인지시킨다.
허리 돌리기	① 발은 자신의 어깨넓이로 벌리고, 손은 자연스럽게 옆구리에 대고 선다. ② 반복하면서 동작을 더 크고 깊게 한다. ③ 고관절을 신전시키면서 깊이 돌린다.

▸ 어깨 돌리기

▸ 허리 돌리기

비틀기는 젖은 수건을 비틀어 물을 짜는 것처럼, 몸을 비틀어서 근육과 경락에 정체된 기혈 순환이 잘 될 수 있도록 하며, 굳어있는 근육을 풀어 유연하게 하는 동작이다. 목, 어깨, 팔, 몸통, 다리 등을 비틀어 관절과 뼈를 교정하고 기혈 순환을 원활하게 하는 효과가 있다.

❶ 양손을 엇갈려 깍지를 끼고, 숨을 들이마시면서 손을 비틀어 가슴 앞으로 가져온다.

❷ 숨을 내쉬면서 완전히 비틀어 뻗고, 목을 뒤로 젖힌다.

❸ 이때 목을 뒤로 젖히는 느낌이 아니라 가슴을 펴 준다는 느낌으로 한다.

▸ 비틀기

용쓰기는 순간적으로 힘을 폭발시켜 근육의 힘을 최대한 쓰는 동작이다.

❶ 다리를 넓게 벌리고 서서 무릎은 45도 정도로 낮춘다.
❷ 호흡을 들이마시면서 양손을 가슴까지 들어올렸다가 숨을 멈추고 양옆으로 뻗으면서 아랫배에 집중하여 모든 힘을 밖으로 보낸다는 마음으로 손끝과 발끝에 힘을 준다.
❸ 호흡을 내쉬면서 힘을 빼고 제자리로 돌아온다. 3회 반복한다.

▸ 용쓰기

이 외에도 짝끼리 하는 뇌체조는 옆구리 늘이기, 어깨 눌러주기, 손잡고 돌기, 등대고 손뼉치기, 등대고 앉았다 일어서기 등 <표 1.5>와 같이 정리할 수 있다.

표 1.5 ▸ 짝끼리 하는 뇌체조

구분	동작 요령
옆구리 늘이기	• 서로 옆으로 나란히 안쪽 발이 맞닿게 선다. • 안쪽 손은 잡고 바깥 손은 머리 위로 올려 잡는다. • 반대로 뒤로 돌아서 해준다.
어깨 눌러주기	• 서로의 어깨에 손을 올려놓을 수 있을 정도의 거리를 두고 마주 선다. • 다리를 어깨넓이로 벌리고 양손으로 상대방의 어깨를 잡는다. • 어깨를 가볍게 눌러주면서 서로의 어깨를 풀어준다.
손잡고 돌기	• 서로 마주서서 손을 잡고 왼쪽으로 4번 돈다. • 반대로 오른쪽으로 4번 돌리면서 제자리로 온다.
등대고 손뼉치기	• 서로 등을 대고 약간의 거리를 두고 선다. • 각자 왼쪽으로 허리를 틀면서 뒤로 돌면서 상대방과 손뼉을 친다. • 반대로 오른쪽으로 허리를 틀면서 뒤로 돌면서 상대방과 손뼉을 친다. • 이렇게 번갈아 하는데 10번을 한다. 동작을 너무 빠르게 하지 않는다.
등대고 앉았다 일어서기	• 서로 등대고 선 자세에서 뒤로 상대방과 양손 팔짱을 낀다. • 서로 등을 기대면서 천천히 자리에 앉았다가 일어선다. • 10번 정도 해본다. 상대의 등을 의지하면서 일어나는 것이 쉽지만, 혼자 일어나기는 어렵다.

04 브레인짐

브레인짐(Brain Gym)을 처음 제안한 Dennison은 인간이 스트레스를 받을 경우 신체의 한쪽 반구의 양식으로만 행동함으로써 최적의 기능을 수행하는데 필요한 균형 유지가 어렵다는 점을 주장하면서 스트레스로 인한 장애를 최소화하고 최적의 신체 상태를 유지할 수 있는 브레인짐(Brain Gym)의 필요성을 강조하였다(Dennison & Dennison, 1985).

특히, 좌우뇌 차원인 측면 차원, 전후 차원인 초점 차원, 상하 차원인 균형 차원 등 3가지 차원을 중심으로 브레인짐을 구성하고 있다(〈표 1.6〉 참조). 이러한 3가지 차원이 함께 작용할 경우 전체 체계가 보다 쉽게 의사소통하고 조직하고 이해하도록 균형을 갖게 할 수 있다. 즉, 3가지 차원의 뇌가 통합되면 이성적으로 사고하고, 조직하고, 목표를 향해 나아가고 목적의식을 가지게 되며, 긴장이 이완되며 자신의 정서를 느낄 수 있으며 좌측으로부터 우측으로 쉽게 처리할 수 있다.

그러나, 3가지 차원 중에서 한 가지 또는 두 가지 차원이 다른 차원과 갈등을 일으키는 경우에는 쉽게 정보를 처리하는 능력을 상실하거나 정보를 처리하는 속도가 떨어지기 때문에, 학습과정이 상실되거나 방해받을 수 있다(정종진, 2007).

브레인짐은 좌뇌와 우뇌를 활발하게 몸을 교차하는 좌우 교차 브레인짐, 전뇌와 후뇌의 긴장을 풀어 주어 학습 및 수행 집중력을 향상시켜서 동기와 균형을 회복시켜주는 스트레칭 브레인짐, 몸과 뇌의 신경조직 연결을 강화시켜 줌으로써 감정과 이성 측면을 모두 활성화해서 두뇌 기능을 강화시켜 주는 에너지 생산 브레인짐 등 <표 1.7>과 같이 정리할 수 있다.

표 1.6 ▸ 브레인짐의 3가지 차원

측면 차원	초점 차원	균형 차원
좌뇌, 우뇌	전뇌, 후뇌	상뇌, 하뇌
중앙선 동작 (좌우 교차 브레인체조)	스트레칭 동작 (스트레칭 브레인체조)	에너지 생산 동작 (에너지 생산 브레인체조)
정보적 지능	주의집중 지능	정서적 지능
대뇌피질, 뇌량	소뇌, 망상활성화체, 뇌간	시상, 시상하부, 소뇌, 편도체, 송과체, 뇌하수체, 뇌저신경절, 해마
의사소통 차원 (언어적, 비언어적 표현 포함)	이해력 차원	조직화 차원
두 귀 함께 사용하여 듣기, 전신운동하기	이해력, 의미찾는 능력, 맥락 내에서 구체적인 것을 경험하는 능력(간접 경험 능력)	조직화, 정서 표현, 개인적 공간의식, 이성적 반응
학습부진, 난독증	ADHD, 언어발달지체, 이해력 부족, 주의력 결핍, 과잉행동, 주의산만	공포, 접근-회피 갈등, 정서 인식 및 표현 불능
사고, 정보처리, 의사소통	보기, 참여하기, 예상하기, 이해하기	안정, 조직화, 감정
모든 감각의 해석	자율기능(호흡, 심장박동) 조절	단기기억을 장기기억으로 전환
복잡한 기억, 고차적 사고	전정기관 결합	기쁨, 불안 반응
언어습득	고차적 사고 센터 접근 여부	호르몬 방출
형태와 상세한 논리	감각으로부터 정보 수용	상호작용 애정과 놀이 학습
나는 공간상 어디에 있는가?	나는 누구인가? 그것은 무엇인가?	나는 다른 사람들과의 관계에 있어서 어디에 있는가?
나는 안전하다.	나는 내가 누구이며 무엇을 알고 있는지 표현하는 방법을 안다.	나는 세상과 결합하고 상호작용할 수 있다.

표 1.7 ▸ 브레인짐의 유형

구분	이름	효과
스트레칭 브레인체조 (초점 차원, 이해력, 동기)	장딴지 늘리기	주의집중력, 이해력, 과제 완성 능력, 긍정적 태도 및 행동
	어깨 잡고 머리 돌리기	주의집중력, 기억, 사고, 듣기, 말하기, 이해력
	상체를 쭉 늘어뜨리기	이해력
	팔을 쭉 뻗기	쓰기, 글자 조합, 창의적 작문
	엉덩이 부위 근육 이완하기	이해력, 단기 기억, 자기표현, 조직화 기능
	발목 구부렸다가 펴기	의사소통, 집중력, 과제완성 능력, 언어발달, 자기표현
에너지 생산 브레인체조 (균형 차원, 조직화, 정서)	쇄골 아래 갈비뼈 사이 문지르기	읽기, 쓰기, 발하기, 지시에 따르기
	윗 입술과 아래 입술 문지르기	주의집중력, 창의성, 의사소통, 목표 실천
	귀 뒤쪽 목덜미 문지르기	융통성, 의사결정, 집중력, 문제해결력
	입술 위 손가락 대고 문지르기	주의집중력, 동기유발, 의사결정, 직관력
	입술 아래 손가락 대고 문지르기	정신적 피로 감소, 물체 위치 판단력, 조직화 기능
	귀 말린 부분 펴기	듣기, 단기 기억, 추상적 사고
	양손 깍지 끼우고 가슴 앞에 모으기	활력, 자아개념, 자아존중감
	앞이마 양쪽 누르기	정서적 스트레스 감소, 이성적 반응
	하품하면서 턱관절 누르기	표현력, 창의성
좌우 교차 브레인체조 (측면 차원, 의사소통, 인지)	반대쪽 팔과 다리를 함께 움직이기	듣기, 읽기, 쓰기, 기억력
	천천히 무한대 모양 그리기	읽기, 쓰기, 이해력, 주의집중력
	무한대 모양과 알파벳 쓰기	문자 확인, 창의성
	코끼리 동작 흉내 내어 무한대 그리기	듣기 이해력, 단기 기억, 장기 기억, 추상적 사고
	좌우 동형의 그림 그리기	공간 지각력, 시각 변별력, 쓰기
	몸을 교차하여 윗몸 일으키기	듣기, 읽기, 쓰기, 계산 능력
	흔들의자처럼 흔들기	주의집중력, 이해력
	목 돌리기	말하기, 읽기, 지적 활동
	숨을 깊게 들이마시고 내쉬기	읽기, 말하기
	척추 구부렸다가 펴기	주의집중력
	X자 생각하기	의사소통, 사고력

▸ 에너지 생산 체조

▸ 좌우 교차 체조

이 외에도 생활에서 실천할 수 있는 브레인짐은 발끝부딪히기, 접시돌리기 등이 있다. 그 중에서도 접시돌리기는 전후, 좌우, 상하뇌를 모두 통합할 수 있는 브레인짐으로서, 볼텍스 운동을 입체적으로 실현시킬 수 있다는 점에서 효과적이다. 손으로 접시를 만들어 돌리다 보면, 손목, 팔목, 어깨, 목, 허리, 무릎, 종아리, 발목까지 온몸이 볼텍스를 그리게 되며, 저절로 의식에도 볼텍스 문양을 심상화할 수 있다. 이렇게 되면 자연히 마음이 평온해지며, 온몸의 모든 관절이 유연하게 풀리고, 허리의 유연성과 손의 에너지를 느낄 수 있다. 또, 단절되었던 좌우뇌, 상하뇌, 전후뇌의 연결이 좋아지는 등 통합적인 전뇌를 계발할 수 있다.

표 1-8 ▸ **접시돌리기 유형**

한 손으로 접시돌리기	두 손으로 접시돌리기
① 편안하게 서서 척추를 바르게 세우고 어깨에 힘을 뺀다. ② 오른발을 내밀고 왼손은 허리에 둔다. ③ 손바닥을 접시처럼 반듯하게 만들어 아랫배 단전 높이에서 안쪽으로 최대한 크게 원을 그린다. 이때 손바닥을 접시라고 가정하고 깨지지 않도록 지면과 수평을 유지한다. ④ 손바닥으로 원을 그렸던 것을 연장하여 계속 진행 방향으로 손을 감아 원을 그린다. 머리 위까지 손이 올라가면 고개를 뒤로 젖히면서 최대한 큰 원을 그린다. ⑤ 3회 이상 반복하고, 같은 요령으로 손을 바꿔서도 한다.	① 편안하게 척추를 바르게 세우고 어깨에 힘을 뺀다. 두 발을 가지런히 모은다. ② 두 손바닥을 접시처럼 만들어 허리를 최대한 굽혀 겨드랑이 안쪽으로 원을 그리며 감아 돌린다. ③ 감아서 돌린 손이 가슴 앞에서 만나면, 양손을 교차시켜 허리를 젖히며 머리 위에서 큰 원을 그린다. ④ 회전을 연장한다는 기분으로 접시를 한 바퀴 더 돌려서 제자리로 돌아온다. ⑤ 3회 이상 반복한다.

▸한 손으로 접시돌리기

▸두 손으로 접시돌리기

한편, 브레인짐(Brain Gym)의 효과는 다음과 같이 정리할 수 있다(김유미, 1999; 정종진, 2004).

첫째, 브레인짐(Brain Gym)는 전두엽을 활성화시키고 수초를 증가시킴으로써 주의집중력, 자기조절력, 고차원적인 사고력 등을 향상할 수 있다.

둘째, 브레인짐(Brain Gym)는 생존의 뇌인 '뇌간'에 초점을 두기보다는 전두엽의 운동피질을 자극하고 대뇌피질을 활성화시키며 뇌량의 수초화(myelination)에 긍정적인 영향을 미치고 있다.

셋째, 브레인짐(Brain Gym)은 시각, 청각, 근운동기능 활성화를 위해 교차측면적이고 소근육 운동 중심으로 이루어졌기 때문에, 모든 신체 근육을 균형 있게 활성화할 수 있을 뿐만 아니라, 기저핵, 소뇌, 전두엽의 운동피질 등을 통합하고 활성화할 수 있다.

호흡 및 이완 02

01 » 호흡

호흡을 통한 혈액과 산소의 공급 변화에 인간의 두뇌는 매우 민감하다. 즉, 인간의 뇌는 체중의 2%에 불과하지만 심장에서 분출되는 피의 15%를 소비하며, 인간이 호흡하는 산소의 20~25%를 사용하는 신체 부위라 할 수 있다.

특히, 호흡에 주의의 초점을 두고 호흡을 하면 스트레스에 효과적으로 대처할 수 있고 몸과 마음의 상태가 편안해 질 수 있기 때문에, 효과적인 명상을 하기 위해서는 호흡하는 방법을 배울 필요가 있다.

일반적으로 호흡은 가슴 호흡과 복식 호흡으로 <표 1.9>와 같이 구분할 수 있다. 사자, 호랑이 등과 같은 맹수는 깊고 느린 복식호흡을 하지만, 맹수에 쫓기는 토끼, 사슴 등은 계속 불안하고 경계심이 높아 불규칙적이면서 얕고 빠른 가슴호흡을 한다.

표 1.9 ▸ 호흡의 유형

가슴(흉식)호흡	복식(횡격막)호흡
• 늑간근(늑골) 수축흡 • 빠르고 얕은 호흡 • 가슴이 움직이고 어깨에 긴장을 줌 • 교감신경계를 자극 스트레스 반응 • 폐포 30% 활용 • 산소와 이산화탄소간의 기체 교환 미흡 • 피로 유발	• 횡격막 수축 • 깊고 율동적, 규칙적인 호흡 • 가슴에 무리한 긴장 없음 • 부교감신경, 스트레스 해소 • 폐포 80% 활용 • 혈액순환이 원활하여 내장 마사지효과

한편, 자신의 호흡 패턴을 스스로 알아본다는 것은 스트레스에 의한 나쁜 영향을 알아차릴 수 있는 1차적 단계이기 때문에, 스트레스에 대한 자신의 신체, 감정, 정신적 반응 등 호흡 패턴을 <표 1.10>과 같이 확인할 수 있다(장현갑, 2013).

표 1.10 ▸ 호흡 패턴 확인 방법

호흡 패턴 자가 질문
• 들숨과 날숨의 균형이 이루어지고 있는가? • 들숨이 날숨보다 더 길거나 짧은가? • 들숨을 쉴 때 충분한 공기를 들이 마쉬는가? • 숨을 쉴 때 아랫배가 움직이는가? • 숨을 쉴 때 가슴이 움직이는가? • 숨을 쉴 때 아랫배와 가슴이 동시에 움직이는가?

호흡 패턴을 확인하게 되면 복식 호흡은 다음과 같은 순서로 실제 실습할 수 있다(장현갑, 2013).

❶ 편안한 자세로 앉아서 등을 기대고 앉은 채 호흡 패턴을 관찰한다.
❷ 숨을 쉴 때마다 횡격막이 움직이기 때문에, 숨을 들이 마실 때 손이 위로 올라갈 것이고 숨이 내쉴 때는 손이 아래로 내려가는 것을 확인한다.
❸ 호흡을 계속하면서 손이 위로 올라갔다가 아래로 내려가는 것에만 주의의 초점을 둔다.
❹ 앉아서 하는 복식호흡을 5~10분 동안 연습한다.
❺ 가만히 누워서 가벼운 책 한 권을 아랫배 위에 올려놓고 천천히 깊이 들이 마시고 내쉬는 호흡을 한다.
❻ 호흡과 함께 아랫배에 놓인 책이 위아래로 움직이는지 확인한다.
❼ 누워서 하는 복식호흡을 5~10분 동안 연습한다.

02 » 이완

이완(relaxation)은 긴장 수준과 스트레스 수준을 낮추어 스트레스를 극복하는 방법이다. 이러한 이완 훈련의 목적은 스트레스에 의한 부정적인 신체 증상을 줄이거나 방지하고, 스트레스 상황에서 불안과 긴장 수준을 낮추는 것이다.

특히, 이완 기법에는 이완법, 요가, 목욕, 취미생활, 마사지, 자율 훈련, 마음챙김 명상, 호흡법, 심상법, 점진적 근육 이완법 등이 있다. 이완 방법 중에서 가장 효과적인 방법은 등을 대고 딱딱하거나 나무 침대, 바닥에 누워서 하는 자세가 가장 좋다(김윤탁, 2018).

❶ 누운 자세에서 자리가 잡히면 깊은 심호흡을 몇 번 실시한다.
❷ 깊게 호흡하며 발을 쭉 펴고 깊이 들이마시면서 다리를 힘을 주어 쭉 편다.
❸ 주먹, 어깨, 발가락 등 모든 근육을 수축시키면서 어떠한 반응이 일어나는지 느낀다.
❹ 깊은 호흡과 스트레칭을 잠시 멈추고 자신의 감각을 상세히 느낀다.
❺ 호흡과 스트레칭을 풀고 숨을 내쉬면서 쭉 편 다리의 모든 근육이 풀어지게 한다.
❻ 깊은 호흡과 근육 스트레칭 두 가지를 양 팔과 양 다리에 하나씩 번갈아가면서 한다.
❼ 호흡과 스트레칭을 느린 동작으로 실시하면서 모든 근육이 선명하게 보인다는 상상을 한다.
❽ 자신의 감각을 관찰하고 무슨 일이 일어나는지 철저히 알아차릴 때까지 자세를 유지하고 그 후에 느린 동작을 놓아버린다. 이러한 이완의 시간은 15~30분 정도가 가장 적당하다.

표 1.11 ▸ 점진적 이완법 순서 및 단계

구분	특징
준비 (1단계)	• 등이 편한 의자나 소파에 앉거나 침대나 바닥에 눕는다. • 온몸에 힘을 빼고 최대한 편안하게 한다. • 눈을 감는다. • 깊게 숨을 들이마시고 내뱉는 것을 3회 반복한다.
발과 종아리 (2단계)	• 발끝이 얼굴 쪽을 향하도록 당기고 몇 초간 유지했다가 원상태로 돌린다. • 반대로 발끝이 바닥을 향하도록 밀고 몇 초간 유지했다가 원상태로 돌린다.
척추 (3단계)	• 두 발을 모은 상태에서 다리를 쭉 펴고 다리와 무릎 아래가 바닥에 닿도록 아래로 밀어서 몇 초간 머문다. • 반대로 부드럽게 무릎을 들어올리고 다리를 원상태로 돌린다. • 배를 강하게 조여서 몇 초간 유지한 후 원상태로 돌린다. • 엉덩이와 항문을 꽉 오므린 후 몇 초간 유지한 후 원상태로 돌린다. • 양 팔꿈치를 반대편 손으로 잡고 팔을 머리 위로 들어올린다. • 머리를 뒤로 젖히면서 등을 둥글게 말아 들어올려 몇 초간 유지한 후 머리를 바로 하고 등을 펴고 팔을 배 위에 내려놓는다.
어깨 (4단계)	• 어깨를 귀에 닿게 한다는 느낌으로 들어올렸다가 천천히 원상태로 내린다. • 손바닥을 다리에 붙여 가능한 강하게 눌러 몇 초간 유지했다가 원상태로 돌린다.
손과 발 (5단계)	• 양주먹을 꽉 쥐고 몇 초간 유지했다가 원상태로 돌린다. • 양손을 꽉 쥔 채 팔꿈치를 구부려 어깨를 누르고 몇 초 유지했다가 원상태로 되돌린다.
머리와 목 (6단계)	• 어깨를 바닥에 붙이고 고개를 숙여 턱이 가슴에 닿도록 몇 초간 유지하고 머리를 원상태로 돌린다. • 어깨를 바닥에 댄 채 머리를 뒤로 젖혀서 정수리가 바닥에 닿도록 유지했다가 원상태로 돌린다. • 머리를 오른쪽으로 부드럽게 돌려 오른뺨이 바닥에 닿도록 하고 반대로도 한다.
얼굴 (7단계)	• 얼굴 모양이 일그러지고 이맛살이 찌푸려질 정도로 강하게 찡그린 후 몇 초간 유지했다가 원상태로 돌린다. • 입과 눈을 가능한 크게 벌려 얼굴을 위아래로 늘려 편 후 몇 초간 유지했다가 원상태로 돌린다.

또한, 점진적 이완법(progressive relaxation)은 에드먼드 제이콥슨(Edmund Jacobson)이 개발해 발전시켰다. 처음에는 수술 전 환자들이 보이는 스트레스와 목과 등의 근육 긴장을 줄이기 위해 사용되다가 1950년대 조지프 울페(Joseph Wolpe)에 의해 간략한 형태의 점진적 이완법이 개발되었다(김정호, 김선주, 2002). 점진적 근육 이완법의 목적은 두 가지다. 첫째, 긴장감과 이완감을 구분할 수 있도록 하고, 어떤 근육이 긴장하는지를 알게 하는 것이다. 둘째, 모든 근육을 이완시키는 방법을 가르치는 것이다. 점진적이라는 말은 모든 중요한 근육을 한 번에 하나씩 이완시켜 궁극적으로 모든 근육을 이완시킨다는 것을 의미한다(장현갑, 강성군, 2003).

특히, 점진적 이완은 모든 중요 근육을 이완시키기 위해 사용될 수도 있고, 몇몇 근육만을 이완시키기 위해 사용될 수도 있다. 가령 하루 몇 시간씩 컴퓨터 앞에 앉아 작업하는 사무원은 목이나 어깨가 뻐근해질 때 목과 어깨 근육을 푸는 이완을 할 수도 있다.

자율 훈련법(auto-genic training)은 훈련자 자신이 자신에게 이완에 관한 언어적 지시를 함으로써 이완하는 방법으로서, 신체가 스스로 균형을 유지하려고 하는 생리적 현상인 항상성 기제(homeostatic mechanism)를 활성화시켜 준다(장현갑, 강성군, 2003). 독일의 심리치료학자 요하네스 슐츠(Johannes Schultz)와 그의 제자 루테(Luthe)에 의해 개발되었다. 자율 훈련을 실시하면 말초혈관의 혈액이 좋아지고 근육의 긴장이 줄어 신체가 편안해지고 마음이 진정되면서 이완된다. 명상이 마음을 편안하게 해서 신체에 이완 효과를 주는 방법이라면, 자율 훈련은 신체에서 출발해 몸과 마음을 이완시키는 방법이다. 구체적인 자율 훈련법의 절차는 <표 1.12>와 같다(김정호, 김선주, 2002).

표 1.12 ▸ **자율 훈련법 절차**

훈련 1	팔과 다리가 무거워지는 감각에 집중
훈련 2	팔과 다리가 따뜻해지고 무거워지는 감각에 집중
훈련 3	심장 부근이 따뜻해지고 무거워지는 감각에 집중
훈련 4	호흡에 집중
훈련 5	복부가 따뜻해지는 감각에 집중
훈련 6	이마가 시원해지는 감각에 집중

이 외에도 심상 훈련(image training)은 따뜻한 햇볕이 내리쬐는 초원에 편안히 누워 있는 자신을 상상하는 것과 같은, 일종의 백일몽을 스스로 만들어가면서 이완을 시도하는 훈련이다. 이런 상상 속에서 부드러운 초원에 실제로 누워 느낄 수 있는 온갖 아늑한 이완감을 만끽할 수 있다. 심상 훈련을 실시하기에 앞서 3~5분간 이완법을 먼저 실시하고 이 기법으로 들어가는 것이 좋다. 이 훈련이 끝나면 천천히 호흡하면서 자신의 현실세계를 2~3분간 그린 후 깨어나게 한다 (장현갑, 강성군, 2003).

03 감각 통합 놀이

감각 통합은 자신의 신체와 외부 환경에서 제공되는 다양한 감각을 조직화하는 신경학적 과정이다. 작업치료사이며 심리학자인 아이리스(A. Ayres)에 따르면 감각이란 신경세포를 자극하고 활성화하며 신경 계통의 일련의 순서에 의해 일을 진행시키는 에너지이고, 통합은 신체의 여러 감각부분을 전체로 묶는 조직화의 단계이다. 행동은 다양한 감각 간의 협력을 필요로 하며, 대부분 무의식적으로 이루어지기 때문에 감각 통합은 주로 무의식적으로 이루어진다고 할 수 있다.

그러나 감각 통합에 장애가 있는 경우는 이러한 협력 과정이 비효율적이며, 정확성이 보장되지 않으며, 나아가 과다한 노력을 필요로 하게 된다. 이러한 결과로 감각 통합에 장애가 있는 아동은 학습이나 행동에 문제를 보이게 된다. 이러한 감각 통합에 장애가 있거나 감각 통합이 원활하지 않은 경우에는 다음과 같은 감각 통합 놀이를 실시할 필요가 있다.

▶ 시간 예상하기

▶ 색깔 카드 맞추기

▶ 물건 맞추기

▸ 풍선 놀이

▸ 젓가락 공깃돌 나르기

참고문헌

- 김유미(1999). 교사와 부모를 위한 두뇌체조. 푸른세상.
- 정종진(2007). 뇌기능과 학습력 향상을 위한 브레인짐. 학지사.
- 정종진(2004). 잠자는 천재성을 깨우는 데니슨 공부법. 한언출판사.
- 이영(1982). 유아를 위한 창의적 동작교육. 교문사.
- 김유미(1999). 교사와 부모를 위한 두뇌체조. 푸른세상.
- 정종진(2007). 뇌기능과 학습력 향상을 위한 브레인짐. 학지사.
- 정종진(2004). 잠자는 천재성을 깨우는 데니슨 공부법. 한언출판사.
- 김유미(2003). 두뇌를 알고 가르치자. 학지사.
- 문용린(1992). 한국인의 정서 성숙을 위한 교육적 과제. 민주화논총, 12, 27-52.
- 최정훈 외(19860. 심리학. 서울 : 법문사.
- 김영훈(2012). 아이의 공부두뇌. 베가북스 출판사.
- 김완석(2016). 과학명상. 커뮤니케이션북스.
- 김윤탁(2018). 명상이 쉬워요. 티움.
- 김정호, 김선주 (2002년). 스트레스의 이해와 관리. 서울: 시그마프레스.
- 김정호, 김완석(2013). 스트레스 과학 - 기초에서 임상 적용까지. 대한스트레스학회.
- 장현갑, 강성군 (2003). 스트레스와 정신건강. 서울: 학지사.
- 박석(2006). 명상의 이해. 스트레스硏究, 14(4), 247-257.
- 박은숙(2015). 마사지의 명상적 요소에 관한 연구. 석사학위논문. 명지대학교 산업대학원.
- 박은희(2003). 명상수련이 무용수에게 미치는 영향. 석사학위논문. 대전대학교 대학원.
- 서정섭(2006). 단전호흡과 명상수련이 양궁선수들의 신체평형성과 폐기능에 미치는 영향. 석사학위논문. 계명대학교 교육대학원.
- 서정순(2014). 명상이 정신건강에 미치는 영향. 석사학위논문. 가야대학교 대학원.
- 장현갑(1996). 명상의 심리학적 개관: 명상의 유형과 정신생리학적 특징. 한국심리학회지: 건강, 1, 15-33
- 장현갑(2004). 명상의 세계. 정신세계사.
- 장현갑(2004). 스트레스 관련 질병 치료에 대한 명상의 적용. 한국심리학회지: 건강, 9(2), 471-492.

- 장현갑(2013). 명상에 답이 있다. 담앤북스.
- 정태혁(2007). 실버 요가. 서울: 정신세계사.
- 이영(1982). 유아를 위한 창의적 동작교육. 교문사.
- 김유미(1999). 교사와 부모를 위한 두뇌체조. 푸른세상.
- 정종진(2007). 뇌기능과 학습력 향상을 위한 브레인짐. 학지사.
- 정종진(2004). 잠자는 천재성을 깨우는 데니슨 공부법. 한언출판사.
- Dennison, P. E., & Dennison, G. E. (1985). Personalized whole brain intergration. C.A : Edu-Kinesthetics, Inc.
- Dennison, P. E., & Dennison, G. E. (1995). Educational kinesiology in-depth: The seven dimensions of intelligence. Edu-Kinesthetics, Incorporated.
- Hannaford, C. (1995). Smart moves. Virginia: Great Ocean Publishers.
- Hannaford, C. (1998). advanced learning concepts the braingym movements.
- Tomporowski, P. D., & Ellis, N. R. (1986). Effects of exercise on cognitive processes: A review. Psychological bulletin, 99(3), 338.
- Khalsa, G. K., & Sifft, J. M. (1987). The Effects of Educational Kinesiology upon the Static Balance of Learning Disabled Boys and Girls.
- Dennison, E., & Dennison, G. (1989). Brain Gym (Teachers Edition, revised). Edu-Kinesthetics. Inc., Ventura, California.
- Brefczynski-Lewis, J. A., Lutz, A. Schaefer, H. S., Levinson, D. B., Davidson, R. J. (2007). Neural correlates of attentional expertise in long-term meditation practitioners. Proceedings of the National Academy of Sciences of the United States of America, 194(27), 11483-11488.
- David, A.S.(1993). The Concise Dictionary of Psychology. 정태연 (역)(1999). 심리학용어사전. 서울 ; 끌리오.
- Girdano, D.A., Everly, G.S., Dusek, D.E.(2008).Controlling Stress and Tension. San Francisco : Benjamin-Cummings Publishing Company. 김금순, 곽금주, 김성재, 임난영, 임숙빈(역)(2009). 스트레스와 긴장의 조절. 안양: 아카데미아.
- Kabat-Zinn, J.(1990). Full catastrophe living: Using the wisdom of your body and mind to face stress, pain, and illness. New York: Delta.
- Selye, H.(1976). The Stress of Life. New York : McGraw-Hill.
- Siegel, R. D., Germer, C. K., & Olendzki, A. (2009). Mindfulness: What is it?

Where did it come from?. In Clinical handbook of mindfulness (pp. 17-35). Springer, New York, NY.
- Caine, R. N., & Caine, G.(1994). Making connections. NY: Addison-Wesley Publishing Company.
- Hannaford, C.(1995). Smart moves. Virginia: Great Ocena Publishers.
- Jensen, E.(1998). Teaching with the brain in mind. Virginia: Association for Supervision and Curriculum Development.
- Politano, C., & Paquin, J.(2000). Brain-based learning with class: Winnipeg.: Portage& Main Press.
- Buzan, T.(1989). Use both sides of your brain(3rd ed.). New York: Penguin.
- Thomas, E.(19720. The variation of memory with time for information appearing during a lecture. Studies in Adult Education, 57-62.
- Russell, P.(1979). The brain book. New York: E. P. Dutton.
- Klein, R., Pilon, D., Prosser, S., & Shannahoff-Khalsa, D.(1986). Nasal airflow asymmetries and human performance. Biological Psychology, 2, 127-137.
- Jensen, E.(2000). Brain-based learning: A reality check. Educational Leadership, 57, 76-80.
- Howard, P.(1994). Owner's manual for the brain. Austin, Tex: Leornian Press.
- Dennison, P. E., & Dennison, G. E. (1985). Personalized whole brain intergration. C.A : Edu-Kinesthetics, Inc.
- Dennison, P. E., & Dennison, G. E. (1995). Educational kinesiology in-depth: The seven dimensions of intelligence. Edu-Kinesthetics, Incorporated.
- Hannaford, C. (1995). Smart moves. Virginia: Great Ocean Publishers.
- Hannaford, C. (1998). advanced learning concepts the braingym movements.
- Tomporowski, P. D., & Ellis, N. R. (1986). Effects of exercise on cognitive processes: A review. Psychological bulletin, 99(3), 338.
- Khalsa, G. K., & Sifft, J. M. (1987). The Effects of Educational Kinesiology upon the Static Balance of Learning Disabled Boys and Girls.
- Ward, C., & Daley, J. (1998). Learning to learn: Strategies for accelerating learning and boosting performance. Caxton Press.
- Carper J.(2000). Your miracle brain. 이순주 역(2000). 기적의 두뇌. 서울: 학원사.

- Dennison, P. E., & Dennison, G. E. (1985). Personalized whole brain intergration. C.A : Edu-Kinesthetics, Inc.
- Dennison, P. E., & Dennison, G. E. (1995). Educational kinesiology in-depth: The seven dimensions of intelligence. Edu-Kinesthetics, Incorporated.
- Dennison, P. E., Dennison, G. E., & Teplitz, J. V. (2000). Brain gym for business : Instant brain boosters for on-the-job success(Revised ed.). Ventura, CA: E여 -Kinesthetics, Inc.

CHAPTER 02

정서 관리를 위한 브레인트레이닝

SECTION_

01 정서 인식하기

정서를 측정하는 방법은 크게 자기 보고, 생리적 측정, 행동 관찰 등 <표 2.1> 과 같이 구분할 수 있다.

표 2.1 ▸ **정서 측정 방법**

구분	개념	특징
자기 보고	자신의 정서적 느낌에 대한 참여자의 기술	• 자신의 인지, 행동, 정서의 다른 양상 보고
생리적 측정	교감 신경계 및 부교감 신경계의 활성도	• 혈압, 심장 박동, 땀, 정서적 각성 동안 변동하는 다른 변인들의 측정치
행동 관찰	객관적인 관찰자가 행동을 평가	• 안면 표정, 음성 표현, 도주 또는 공격을 포함하여 관찰할 수 있는 모든 행동 포함

01 » 뇌파 측정을 통한 정서 상태 파악

뇌파는 뇌 활동의 지표 혹은 뇌 세포의 커뮤니케이션 상태를 나타낸다(박만상, 윤종수, 1999). 뇌파(Brain waves)는 뇌에서 발생하는 0.1~80Hz에 걸친 넓은 저주파 영역을 포함한 작은 파동 현상으로 두피로부터 대뇌피질의 신경세포군에서 발생한 미세한 전기적 파동을 체외로 도출하고 이를 증폭해서 전위를 종축으로 하고 시간을 횡축으로 해서 기록한 것이다(김대식, 최창욱, 2001).

뇌파는 뇌 세포 간에 정보를 교환할 때 발생하는 전기적 신호로 뇌전도(EEG: electro encephalogram)라고도 하는데, 뇌의 활동 상태와 활성 상태를 보여주는 중요한 정보를 가지고 있으며, 의식 상태와 정신활동에 따라 변하는 특정한 패턴이 있다. 이러한 뇌파는 '뇌전위'라고도 불리며 뇌신경 세포의 활동에 수반되어 생성되는 미세한 전기적 변화를 머리 표면에서 전극을 부착하여 유도하고 이를 증폭시켜 전위차를 기록한 것이다.

따라서 뇌 기능의 활동성이 약해지는지, 반대로 높아지는가를 측정할 수 있으며, 시시각각으로 변화하는 뇌 활동의 변동을 공간적, 시간적으로 파악할 수 있는 객관적 지표로써 신경생리학 분야에서 많이 사용되고 있다(이창섭·노재영, 1997).

한편, 뇌파 유형 및 특징을 정리하면 <표 2.2>와 같이 정리할 수 있다(고병진, 2010).

표 2.2 ▸ 뇌파의 유형 및 특징

구분	특 징
Delta wave	• 출현부위는 일정하지 않고 불규칙한 서파 • 나이와 상관없이 숙면 중에 나타남 • 성인의 각성시 나타나면 뇌종양, 뇌염 등 병적요인 판단 근거
Theta wave	• 일반적으로 졸리거나 깊은 명상시 발생 • 무의식 및 창의력의 영역 • 주의각성을 시켜 문제해결 아이디어를 제공, 창조적 힘으로 연결 • 번쩍임이나 영감(inspiration)이 발생
Alpha wave	• 긴장이완이나 편안한 상태일 때, 눈을 감았을 때, 집중할 때나 창의적인 사고를 할 때 발생 • 명상상태에 들어가기 위한 전 전계, 학습을 위한 주의력 형성의 전 단계로 준비 상태
Beta wave	• 일상생활 중 나타나 '활동뇌파'라고도 함 • 의사결정, 논리적 추론, 문제해결 등과 관련된 뇌파 • 긴장 및 집중되는 정신활동 시 뇌 전체에서 광범위하게 나타남
Gamma wave	• 외적 의식으로 불안, 흥분의 강한 스트레스 상태에서 전두엽과 두정엽에서 비교적 많이 발생 • 초월적 마음상태 또는 이완으로 벗어난 새로운 의식상태, 신경자원(neural resources)을 활성화시켜 총동원할 때 • 정신적으로 총력 집중할 때 발생하는 특징적인 뇌파

뇌파 검사는 대뇌 기능을 평가하는 가장 우수하고 객관적인 방법으로서(김대식·최장욱, 2001), 뇌의 상태를 분석하여 증상에 대한 처방까지도 할 수 있다. 뇌파를 측정하는 과정에서 뿐만 아니라, 특정 상황이나 문제를 해결하면서 인간의 능력을 객관적이고 합리적으로 측정할 수 있는 Smart Brain를 개발하였다(뇌과학연구원, 2014).

표 2.3 ▸ 뇌파 검사의 유형 및 특징

구분	검사명	검사내용	검사방법	검사결과
자발 뇌파검사	안정상태 검사	어떤 외부 자극도 주어지지 않는 눈감은 안정상태에서 뇌파가 정상적인 리듬형태로 출현하는지를 측정	눈을 감고 30초 동안 뇌파 측정	뇌파리듬 분포 좌·우뇌 활성도
	각성상태 검사	어떤 외부 자극도 주어지지 않는 눈뜬 각성상태에서 뇌파가 정상적인 리듬형태로 출현하는지를 측정	눈을 뜨고 30초 동안 정면을 바라보면서 뇌파 측정	
유발 뇌파검사 (Brain Test)	공간지각 능력검사	공간지각 과제 수행시 관련된 두뇌기능을 측정	공간지각검사 24문제를 수행하면서 뇌파 측정	뇌파리듬분포 좌·우뇌 활성도 육각분포도 집중력 변화 Brain Test 분포
	기억력 검사	기억력 과제 수행시 관련된 두뇌 기능을 측정	기억력검사 24문제를 수행하면서 뇌파 측정	

표 2.4 ▸ 두뇌활용능력 검사를 통해 파악하는 두뇌활용 패턴

구분	진단 내용
인지 패턴	인지강도, 인지속도 등을 측정하여 문제해결에서 나타나는 기초적인 인지 능력 파악
문제해결 성향	좌·우뇌 활성도를 측정하여 문제해결시 주로 활용하는 뇌 성향 파악
두뇌 스트레스	활성 뇌파 세부리듬을 측정하여 문제해결시 나타나는 두뇌 스트레스 상태 파악
집중력 패턴	집중강도, 지속력을 측정하여 집중력 패턴 파악
두뇌상태 점검	활성 뇌파 세부리듬을 측정하여 두뇌 활성도가 정상 수치에 있는지 파악
공간지각력, 기억력	Brain Test 결과 점수를 통해 공간지각력 및 기억력 파악

02 » 정서 인식 및 표현 검사를 통한 정서 상태 파악

정서 인식 및 정서 표현을 측정하는 도구로서, Penza-Clyve와 Zeman(202)가 개발한 EESC를 사용할 수 있다. EESC는 9~12세까지 아동을 대상으로 적용되며 명확한 정서인식과 표현의 2가지 측면을 측정하기 위한 자기-보고형 척도로서 정서인식의 부족요인 8개 문항(3, 5, 8, 9, 10, 1, 14, 15문항)과 정서 표현의 부족 8개 문항(1, 2, 4, 6, 7, 12, 13, 16 문항)으로 5점 평정식 총16문항으로 구성되어 있다. 총 점수가 높을수록 정서를 인식하고 표현하는데 어려움을 겪고 있음을 나타낸다.

표 2.5 ▸ 자기 보고식 정서 인식 및 정서 표현 검사도구

구분	문항	전혀 그렇지 않다	아주 조금 그렇다	가끔 그렇다	대부분 그렇다	거의 항상 그렇다
1	나는 내 감정을 감추는 것을 좋아한다.					
2	나는 내가 어떻게 느끼는지 말하는 것을 좋아하지 않는다.					
3	나쁜 일이 생겼을 때, 나는 폭발할 것 같은 기분이다.					
4	나는 다른 사람들의 감정이 다치지 않도록 내가 어떻게 느끼는지 보여주지 않는다.					
5	나는 해결할 수 없는 감정들이 있다.					
6	나는 대체로 사람들이 나에게 먼저 말을 걸 때까지 그들과 말하지 않는다.					
7	내가 화가 났을 때, 나는 그것을 보여 주는 것이 두렵다.					
8	내가 화가 났을 때, 나는 그것에 대해 어떻게 말해야 할지 모르겠다.					
9	나는 종종 내가 어떻게 느끼고 있는지 모른다.					
10	사람들은 내가 내 감정에 대해 더 자주 말해야 한다고 말한다.					
11	가끔 내가 어떻게 느끼는지 설명할 단어가 없다.					
12	내가 슬플 때, 그것을 보여주지 않으려고 노력한다.					
13	당신이 진정으로 어떻게 느끼는지 보여 줄 때, 다른 사람은 그것을 좋아하지 않는다.					
14	나는 내 감정을 보여줘야 한다는 것을 알지만, 너무 힘들다.					
15	나는 내가 화가 난 이유를 종종 잘 모른다.					
16	나는 어떤 사람들에 대해 어떻게 느끼는지 보여주는 것이 힘들다.					

02 감정 정화하기

01 » 웃음 체조

웃음이란 간단히 말해서 웃는 행위와 표정, 소리 등을 아울러 이르는 말로, 만족이나 기쁨의 일시적 표현이다. 웃음은 뇌에서 반응을 하는 행위로, 사회적 상호작용과 대화를 통한 정서적 맥락에서 발생한다. 신경생리학에서 볼 때, 웃음은 뇌의 복내측 전전두엽 피질(ventromedial prefrontal cortex) 부분의 활동과 관련되어 엔도르핀을 생산한다. 또 정서를 주관하고 인간 생존에 필수적 기능을 하는 대뇌변연계가 웃음과 관련되어 있기도 하다.

1천억 개의 뇌세포를 고르게 자극하는 오케스트라와 같은 역할을 하는 웃음은, 한 번 웃는 것이 윗몸일으키기 25회와 같은 효과를 낸다. 웃음은 마음과 서로 교감한다. 마음에서 비롯되는 표현이 웃음이지만, 계속 웃는 행위가 마음을 바꾸기도 하고 사고의 관점을 바꾸기도 한다.

또한 웃음은 인간 심신의 건강과도 연관이 깊다. 연구에 따르면 웃음은 고통을 완화하고 행복감을 증대시키며 면역력을 높인다. 긍정심리학에서는 웃음과 유머감각을 매우 중요한 요소로 꼽는다. 웃음은 코르티솔, 에피네프린, 도파민 등의 스트레스 호르몬 수준을 경감시키고, 엔도르핀 같은 건강 강화 호르몬 수준을 높여 주며, 항체생산세포의 수를 늘리고, 혈압에도 긍정적인 영향을 미친다. 이 같은 신체적 영향뿐만 아니라 정서적 긴장을 감소시켜 주는 데도 큰 영향을 미치고, 횡격막·복근·어깨 등을 활발하게 움직여 신체적 건강과 근육이완에도 도움을 주며, 심장에도 긍정적인 영향을 미친다. 지친 뇌를 쉬게 하여 분노, 죄의식, 스트레스와 같은 부정적 정서를 완화시키는 효과도 있다. 이외에도 타인과의 관계에 긍정적인 영향을 미쳐, 잘 웃는 사람이 대인관계도 더 좋은 것으로 나타난다.

❶ 웃음 체조를 하기 전에 먼저 얼굴 근육을 풀어 준다.
❷ 웃는 동안 코를 통해 숨을 들이쉬고, 입을 통해 숨을 내쉬며, 조금의 깊은 호흡을 한다.
❸ 1분 동안 멈추지 않고 할 수 있는 한 가장 크게 웃는다.

비록 아무 것도 자각할 수 있게 웃기지는 않지만, 모든 참여자들에게 그들의 웃음을 위해 100%의 에너지를 모두 사용하도록 격려한다.

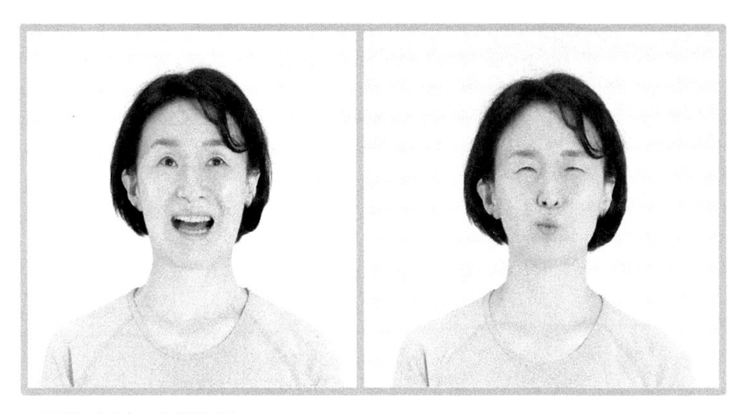

▸ 얼굴 근육 풀어주기

▸ 웃음 체조

02 » 신문지 및 풍선을 활용한 감정 표출

과거의 경험은 언어로 표현하거나 그 장면을 행동으로 표현하거나 음악, 미술 등의 매체를 사용하여 상징적으로 표현할 수 있다. 행동으로 표현하는 예를 들면, 어머니에 대한 분노를 지닌 학생에게 인형과 신문지를 주어 자신의 감정을 행동으로 표현해 보라고 하는 것이다. 이러한 과거의 재경험은 내담자에게 정화 경험을 촉진하며 치료적 요소가 된다. 재경험이 치료적 힘을 갖기 위해서는 다음과 같은 점을 고려해야 한다.

첫째, 현재의 문제와 관련된 과거경험을 기억한다. 그러나 과거경험에 대하여 구체적으로 기억하고 있는 내담자는 회상하는 것이 쉬운 일이지만 부분적으로 기억하는 내담자에게는 어려운 일이 될 수 있다. 또한 회상에 방해가 되는 가장 큰 요인은 내담자의 저항이다. 내담자의 저항을 극복하기 위해서는 상담관계 형성이 중요하다.

둘째, 과거의 외상적 경험에 따른 감정을 표현하여 경험하는 것이 치료적 효과를 기대할 수 있다. 이를 위한 방법에는 과거의 부정적 경험에 대한 직접적 질문 사용, 경험과 관련된 핵심 감정의 공감, 성장동기의 해석, 빈 의자 기법, 역할놀이, 자유연상 등이 있다. 이때 회상을 하는 동안 내담자의 감정흐름을 방해하지 않아야 하며 이러한 경험에 대한 해석, 분석, 평가와 같은 인지적 활동은 감정흐름을 차단하기 때문에 조심스럽게 다루어야 한다.

▸신문지 감정 표출

▸풍선 감정 표출

정서 조절하기 03

명상의 어원은 라틴어 contemplatio, meditatio에 해당하여 묵상, 관상의 의미이고 "깊이 생각하다", "묵묵히 생각하다" 등으로 해석할 수 있다(박은숙, 2015). 즉, 명상은 마음을 자연스럽게 안으로 몰입시켜 내면의 자아를 확립하거나 종교수행을 위한 정신집중 상태라 할 수 있다(서정순, 2014).

일반적으로 모든 생각과 의식의 기초는 고요한 내면의식이며, 명상을 통하여 순수한 내면의식으로 자연스럽게 몰입하게 된다(서정섭, 2006). 따라서, 명상은 인간의 의식을 어느 하나의 대상에 집중하도록 하는 훈련을 통해 궁극적으로 내적 평온함이 극대화되어 자기를 만나는 최고의 경지에 도달할 수 있는 정신수련법이라 할 수 있다(장현갑, 2004).

특히, 약은 몸을 치료하고 명상은 우리의 존재를 치유하는 자기 내면의 약이기 때문에, 운동은 신체를 건강하게 하는 'physical-exercise'라고 하는 반면에, 명상은 정신을 건강하게 하는 'mental-exercise'라고 한다(박은숙, 2015).

01 » 호흡 명상

호흡명상은 호흡에 의식을 기울이는 명상이다. 쉽게 말하자면, 호흡에 주의를 기울여 마음을 집중하는 명상이라 할 수 있다. 즉, 코로 들이쉬는 들숨(호)과 입으로 내쉬는 날숨(흡)에 주의를 의식하면 뇌의 생각작용이 이완되어 마음이 안정되고 자신의 현재 상태를 바라볼 수 있게 된다.

특히, 평상시 외부의식에 집중되어 있는 상태를 자신의 내면(마음)으로 집중할 수 있도록 하는 명상 중에 기본으로 삼는다. 몸이 이완되고 마음이 편안해질수록 깊어지고 길어진다. 호흡을 바라보고 느끼고 알아차릴 때 몸과 마음의 변화가 일어난다.

호흡명상을 실시하기 위해서는 먼저 호흡하는 방법을 배워야 한다. 호흡은 들숨, 날숨, 들숨과 날숨 사이의 멈춤 등 세 부분으로 구분되고, 이 세부분을 알아차리고 무엇이 일어나는지 살펴볼 수 있다.

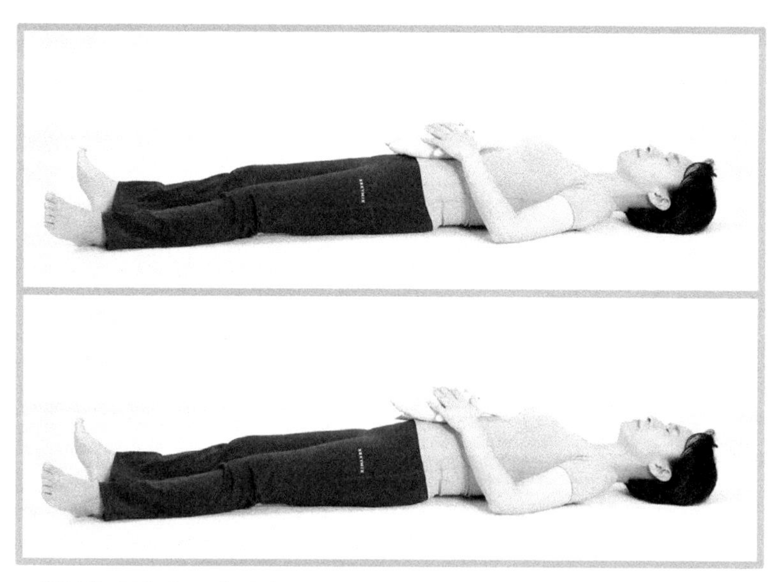

▸ 인형을 활용한 호흡명상

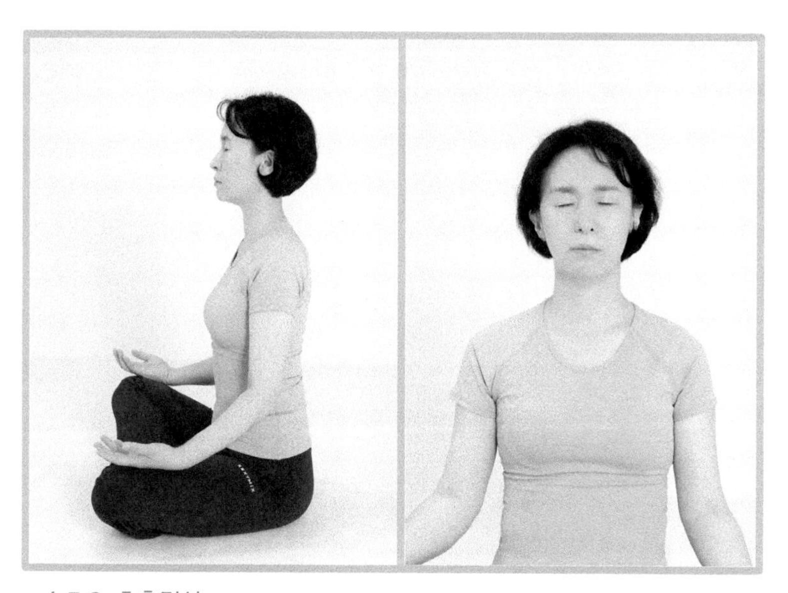

▸ 4.7.8 호흡명상

02 » 이완 명상

이완 명상은 신체 활동을 통해 굳어진 몸의 근육이 이완되고 뇌파가 알파파로 바뀌어 정서가 안정된 상태를 만드는 바디스캔(Body-Scan) 명상이다. 즉, 이완명상은 생각이 그쳐진 상태에서의 명료한 의식 상태로서, 자신의 몸에 집중하여 현재 상태를 느낄 수 있는 명상 방법이다.

특히, 편안하게 앉은 자세에서 허리를 세우고 손은 무릎위에 살며시 올려놓고 몸의 힘을 뺀 상태에서 호흡하고 천천히 마음속으로 내 몸의 각 부위에 집중한다.

먼저 '머리-이마-눈썹-코끝-입술-얼굴'이 환하게 웃는다. '목-양쪽 어깨-팔꿈치-손목-손끝-손끝으로 내 몸의 뭉쳐있던 탁한 에너지들이 빠져나간다.'고 상상한다. 다음으로 '가슴-배꼽 밑의 아랫배-허벅지-무릎-발목-발끝으로 내 몸의 뭉쳐있던 탁한 에너지들이 빠져나간다.'고 상상한다. 내 몸이 시원하고 가벼워짐을 느껴본다. 이렇듯, 자신의 몸의 각 부위에 집중함으로서 몸과 마음을 이완시켜 편안하고 안정된 상태를 유지할 수 있다.

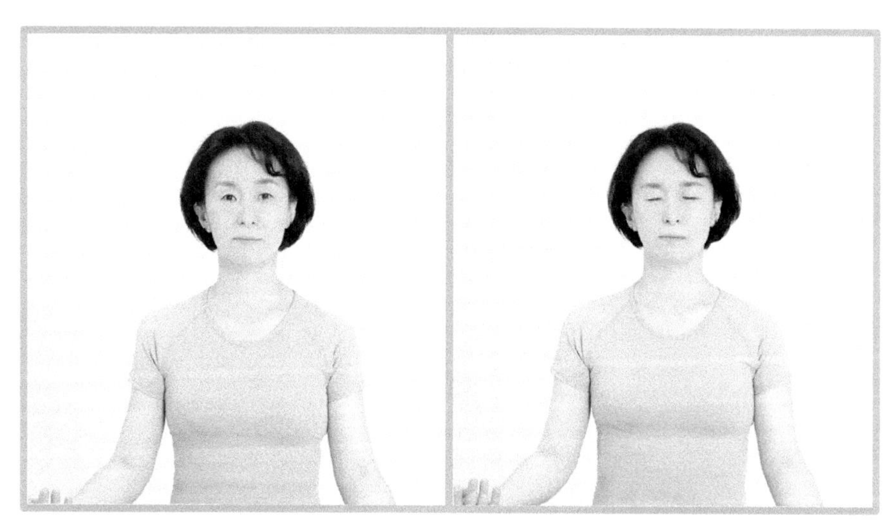

▶ 앉아서 하는 이완 명상

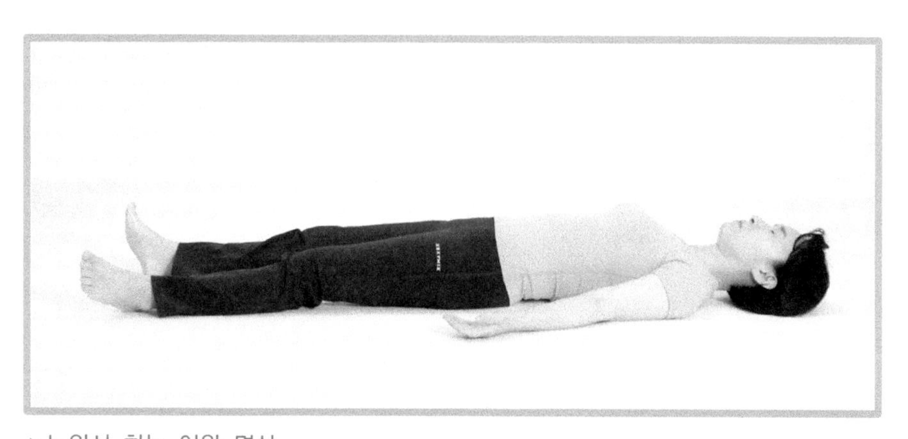

▶ 누워서 하는 이완 명상

03 » 걷기 명상

걷기 명상은 완전한 주의를 걷는 과정에 두고 발동작과 발의 느낌을 알아차림함으로써 집중력과 몸의 감각을 깨우는 명상 방법이다. 쉽게 말하자면, 걷고 있는 자신의 발에 주의를 기울여 마음을 집중하는 명상이라 할 수 있다. 몸에서 무게의 옮겨짐부터 당신의 발을 땅에 놓는 방법까지이고 걷기 명상은 호흡을 가다듬는 것부터 시작한다. 걷기 전에 먼저 발바닥을 11자로 모으고 서서 호흡을 느낀 뒤 몸과 마음의 긴장을 내려놓고 발에 의식을 집중한다.

특히, 맨발걷기 명상은 발이 땅에 닿는 느낌에 의도적으로 집중하여 신체의 변화를 알아차리는 명상법이다. 맨발걷기 명상은 자연을 느끼면서 자연과의 공감 능력이 향상되고 뇌 신경계의 활동이 원활해져 머리는 맑아지고, 뇌척수액 분비가 활발해져 세로토닌 등 행복 호르몬의 분비로 안정된 정서 상태가 된다.

제2의 심장이라고 불리는 '발'은 우리의 몸에서 가장 많은 반사구가 분포하고 있으며 신체 각 부위와 밀접한 상관관계를 보일 정도로 중요한 부위이다. 우리 몸에서 가장 먼저 피로를 느끼는 부위가 발이기도 하다. 발은 심장에서 가장 멀리 떨어져 있어 혈액순환이 쉽지 않고 이로 인해 노폐물이 쌓이기 쉬워 질병의 원인이 될 수 있다. 이러한 말초신경이 모여 있는 발바닥을 자극해 혈액순환을 원활하게 하며 면역기능을 높이고 스트레스가 해소되어 기억력향상과 불면증, 두통, 배변 활동에 도움을 주며, 염증, 면역반응, 상처치유 등에도 도움이 된다.

또한, 맨발 걷기의 효능을 더 좋게 하기 위한 방법으로 바른 자세로 걷는 것이다. 걸을 때 보폭을 크게 하고 정자세로 똑바로 걷는 것이 몸의 체형이나, 균형 자체에 도움을 준다.

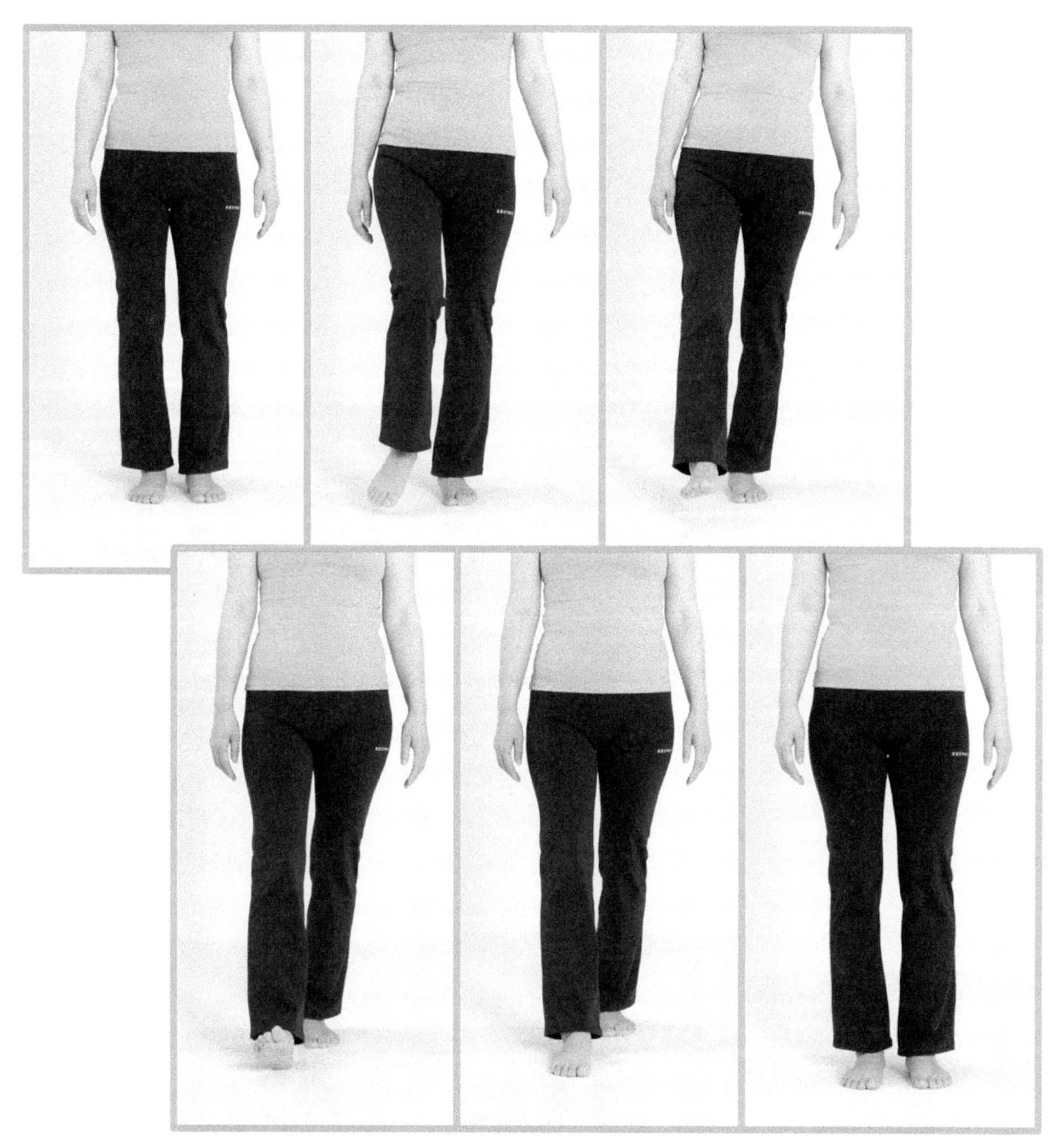

▸ 맨발 걷기 명상

04 » 춤 명상

인간 자신의 생각과 마음을 몸짓으로 표현하는 춤은 생명의 본성적인 표현이고 자신의 모두를 그대로 드러내는 행위로 자기 삶을 방해하고 억압하는 세계를 춤에 자신의 모든 에너지를 집중하고 움직이면서 자신의 무의식에 갇혀 있던 기억을 쏟아내면서 명상상태에 이르게 된다. 춤 테라피 명상은 즉흥적으로 이루어지는데, 즉흥이란 사물에 대한 감성을 즉각적이고 반사적으로 반응하는 창작이다.

▸춤 명상 (1)

또한, 즉흥적으로 추는 춤은 신체를 통하여 자기의 사상과 감정을 표현하고, 창의력의 발달을 목표로 하는 차원 높은 표현 방법으로 특정한 자극과 의식에 대한 감정의 선택이다. 따라서 춤 명상은 자연스러운 자신의 움직임뿐만 아니라 기존 개인의 경험과 정보를 내러티브하게 표출함으로써 자기화 동기, 자기 수행, 자기 치유력을 향상시키는 명상 방법이다.

특히 춤 명상의 효과로는 정신과 신체의 균형감 유지, 자신의 마음을 개방할 수 있는 표현성, 능동적으로 몰입할 수 있는 자발성, 긍정적 자아를 찾기 위한 치유적인 효과들이 나타난다.

▸춤 명상 (2)

참고문헌

- 김충식(2013). 뇌파정보에 의한 성격유형의 분류 및 성격유형과 뇌기능 지수와의 관계 : 2 Channel System 뇌파측정 방법을 중심으로. 서울벤처대학원대학교. 박사학위논문.
- 이우주(2005). 의학사전. 아카데미서적.
- 박병운(2005). 뇌파 해석 기법. 한국정신과학연구소.
- 정용안 외(2007). 치료 저항성 우울증 환자에서 반복적 경두개 자기자극 후 국소뇌혈류 변화. Nuclear Medical Molecular Imaging, 41(1), 9-15.
- 김유미(2003). 두뇌를 알고 가르치자. 학지사.
- 이창섭, 노재영(1997). 『뇌파학 입문』, 하나의학사.
- 김대식, 최창욱(2001). 뇌파검사학. 고려의학.
- 윤종수(1999).『뇌파학개론』, 서울: 고려의학.
- 뇌과학연구원(2014). 두뇌활용능력 검사기기 -스마트브레인 매뉴얼-. 브레인트레이너협회.
- 박만상, 윤종수(1999). 고려의학. 뇌파학개론. 고려의학
- 류분순(2008). 무용동작 심리치료가 성폭력 피해 청소년의 외상후 스트레스 뇌파 및 자아정체감에 미치는 효과. 홍익대학교 대학원 박사학위논문.
- 고병진(2010). 청소년 뇌교육프로그램 적용에 따른 뇌파활성도와 정신력 및 자기조절능력의 변화. 국제뇌교육종합대학원대학교 박사학위논문.
- 좌성민(2011). 기공수련 시 두뇌 영역별 뇌파 특성 비교 연구. 국제뇌교육종합대학원대학교 박사학위논문.
- 김유미(2008). 장애아의 뇌는 어떻게 학습하는가?(2판). 시그마프레스. Sousa, D. A.(2007). How the special needs brain learns. Corwin Press.
- 김동구 외(2005). "Neurofeedback: 원리와 임상응용 스트레스 연구, 13(2), 93-98.
- 박병운(20070. 뇌교육사 교재. 한국정신과학연구소 부설교육센터.
- 한국정신과학연구소(2005). 뇌파 해석 기법.
- Ekman, P. (2001). Telling lies (3rd ed.). New York: Norton.
- Ekman, P., & Friesen, W. V. (1975). Unmasking the face: A guide to recognizing emotions from facial clues. Oxford, England: Prentice Hall.
- Ekman, P., & Friesen, W. V. (1984). Unmasking the face(2nd ed.). Palo Alto,

CA: Consulting Psychologists Press.

- Kalat, J., &Shiota, M. (2011). Emotion. Nelson Education.
- Kamiya,J.(1972). Self-Regulation as An Aid to Human Performance: AnnalProgress Report, San Francisco : Submitted to The San Diego University Foundation, Langhy Porte Neuro-psychiatricInstitute.
- Lubar J. O. & Bahler, W. W.(1976). Behavioral management of epileptic nseizures following EEG biofeedback training of the sensorimotor rhythm", Biofeedback and Self-regulation,7, 77-104.
- Sterman, M. B.(1977). sensory-motor EEG operant conditioning :Experimental and clinical effect. Pavlovian Journal of Biological Science, 12, .63-92.
- Davidson.R.J(1994). Temperament affective style and frontal lobe asymmetry. In G.Dawson & K.W.Fischer(Eds.)Human behavior and the developing brain. NY:The Guild Press.
- Baehr, E., Rosenfeld, J. P., Baehr, R. & Earnest, C.(1999). Clinical
- use ofan alpha asymmetry neurofeedback protocolin the treatment of mood disorders", In (J.R. Evans, ed.) Introduction to Quantitative EEG and Neuro-feedback, N.Y.: Academic Press.
- Gray, J. A.(1990). Brain Systems that Mediate both Emotion and
- Cognition. Special Issue Development of Relationships between Emotion and Cognition. Cognition and Emotion, 4, 269-288.
- Gotlib, I. A., Ranganath, C,, & Rosenfield, J. P(1998). Frontal EEG alpha asymmetry, depression, and cognitive functioning. Cognition and Emotion, 12, 449-478.
- Carver, C.S.,& White, T.L (1994). Behavioral inhibition, Behavioral activation, and affective responses to impending rewardand punishment: The BIS/BAS scales", Journal of Personality and Social Psychology, 67(2), 319-333.
- Peniston, E.G., Marrinan, D.A., Deming, W.A., & Kulkosky, P.J.(1993). The Possible meaning of the upper and lower alpha frequency ranges of cognitive and creative tasks, International Journal of Psychophysiology, 26, 77-97.
- Maulsby, R. L.(1971). An illustration of emotionally evoked the tarhythm in infancy: Hedonic Hypersynchrony", EEG and Clinical Neuroscience Letters, 143, 10-14.
- Peniston, E. G., & Kulkosky, P. J.(1989). Alpha-theta brainwave training and

beta endorphin levels in alcoholics, Alcoholism, Clinical and Experimental Results, 13(2), 271-279.

- Sousa, D. A.(2003). How the Gifted brain learns. Corwin Press.
- Singer, K. et al(2004). Empahty for pain involves the affective but not sensory components of pain. Science, 303, 1157-1162.
- Ornstein, R., & Sobel, D.(1987). The healing brain and how it keeps us healthy. New York: Simon and Schuster.
- Sterman, M. B(1977). Sensorimotor EEG operant conditioning and experimental and clinical effects. Pavlovian J. Biological Science, 12(2), 65-92.
- Hutchison, M(1996). Megabrain: New tools and techniques for brain growth and mind expansion, (2nd ed.), New York: Ballantine books.
- Butler, S(1991). Alpha asymmetry, hemispheric specialization and the problem of cognitive dynamics. In: Giannitrapani, M. (Eds.), The EEG of Mental Activities. Basel, Karger. 75-93, 1988; Glass, A, Significance of EEG alpha asymmetries in cerebral dominance. International Journal of Psychophysiology, 11, 32-33.
- Cowan, J., & Allen, T(2000). Using brainwave biofeedback to train the sequence of concentration and relaxation in athletic activities. proceedings of 15th Association for the Advancemant of Applied Sport Psychology, 95.
- Anna, W(1995). High performance mind. New York: Tarcher Putnam.
- Penza-Clyve, S., & Zeman, J. (2002). Initial validation of the emotion expression scale for children (EESC). Journal of Clinical Child and Adolescent Psychology, 31(4), 540-547.
- Bagby, R. M., Taylor, G. J., & Parker, J. D. (1994). The twenty-item Toronto Alexithymia Scale—II. Convergent, discriminant, and concurrent validity. Journal of psychosomatic research, 38(1), 33-40.
- Shibata, M., Ninomiya, T., Jensen, M. P., Anno, K., Yonemoto, K., Makino, S., ... & Kubo, C. (2014). Alexithymia is associated with greater risk of chronic pain and negative affect and with lower life satisfaction in a general population: the Hisayama Study. PloS one, 9(3), e90984.

MEMO

BRAIN TRAINING

브레인트레이닝의 기본 기능

제2부 02

CHAPTER

03

시각 주의력 향상을 위한 브레인트레이닝

SECTION_

01 안구 운동

시야(visual field)란 우리가 눈을 이용하여 관찰할 수 있는 범위를 말한다. 인간의 시야는 전방 180도 정도이며, 다른 동물들은 눈의 위치에 따라 각각 다른 시야를 가진다. 어떤 새들은 거의 360도에 가까운 시야를 가지기도 한다.

특히, 시폭은 어떤 한 점을 응시하였을 때 눈을 움직이지 않은 상태로 볼 수 있는 범위로서, 사물을 볼 때 시선방향 안에 있는 것은 뚜렷하게 보이고, 주변에 있는 것이라도 완전하지는 않지만 사물의 존재를 알 수 있다. 이 경우 전자를 중심 시야라고 하고, 후자를 주변 시야라고 한다.

또한, 시폭은 머리와 눈을 움직이지 않고 볼 수 있는 물체 또는 점의 궤적으로서, 한쪽 눈인 경우와 양 눈인 경우 각각 다르다. 양 눈으로는 좌우 눈의 시야가 겹쳐서 이른바 양안 시야(binocular field)가 된다. 또 눈을 움직이지 않는 경우는 정시야(靜視野)이고, 눈을 움직여서 볼 때의 시야는 동시야(動視野)이다.

한편, 안구운동은 안구의 효과적인 기능을 위하여 안근(눈근육)으로 눈동자를 움직이는 운동이다. 안근의 기능에 이상이 있게 되면 한쪽 눈 또는 양쪽 눈이 바깥쪽이나 안쪽으로 빗나가 있어서 양안시가 이루어지지 않는 사시가 나타나게 된다. 안구는 직경 약 24mm의 전후 축이 약간 긴 구형을 이루고 있는 것으로서 안와(眼窩) 속에 들어 있다. 안와에는 안구를 움직이는 6개의 외안근이 있는데, 안구 외부에 부착되어 있어 외안근이라고 하며, 안구 속에서 동공의 크기와 조절력을 지배하는 내안근과는 구별된다. 6개의 외안근은 각 안구에 있는 4개의 직근(내직근, 상직근, 하직근, 외직근)과 2개의 사근(상사근, 하사근)으로 구분된다. 안근의 작용은 민감하게 조정되면서 각각의 안구가 같은 물체를 바라볼 수 있는 양안시(兩眼視, binocular vision)가 가능해진다.

01 무한대 그리기

무한대 모양 그리기는 한쪽 팔을 쭉 뻗은 상태에서 엄지손가락이 위쪽을 향하도록 똑바로 세우고, 천천히 부드럽게 8자를 눕힌 ∞(무한대) 모양을 그리는 브레인체조이다. 이러한 천천히 무한대 모양 그리기는 레이지 8s(Lazy 8s)라고도 한다. 이러한 무한대 모양 그리기는 시각 훈련의 과제로서, 대근육을 사용하여 손의 움직임에 따라 눈을 따라가도록 하면서 ∞(무한대) 모양을 그릴 수 있다. 먼저 한쪽 팔을 앞으로 뻗고 엄지손가락을 위로 한 후, ∞(무한대) 모양을 허공에 그리기 시작한다. 가운데에서 시작하여 ∞(무한대) 모양의 왼쪽 매듭을 그린 다음, 가운데를 다시 교차하여 ∞(무한대) 모양의 오른쪽 매듭을 그리는 순서로 진행한다.

이때, 눈은 움직이는 엄지손가락 끝을 바라보고, 목을 편안하게 하면서 고개를 들어 머리가 자연스럽게 ∞(무한대) 모양을 따라 움직이도록 한다.

특히, 천천히 무한대 모양 그리기는 시각적 중앙선을 교차하기 위한 준비가 부족한 학습 장애 학생들을 대상으로 신체운동적, 촉각적 인식을 발달시키기 위한 체조로서, 학습자들이 읽기와 쓰기 활동을 할 경우, 상징 기호를 변별하는 능력과 좌우 눈 운동의 협응 능력을 향상시킴으로써 문자와 낱말의 반전(反轉)과 전치(轉置)의 혼동을 최소화할 수 있다.

▸ 무한대 그리기

02 » 좌우 및 상하로 안구 움직이기

좌우 및 상하로 안구를 움직이는 운동은 눈의 유연성을 증가시키고 안구의 고정폭을 확대시키기 위한 방법이다. 따라서 머리와 목은 고정시키고 눈동자를 왼쪽, 오른쪽, 위, 아래로 움직일 수 있다.

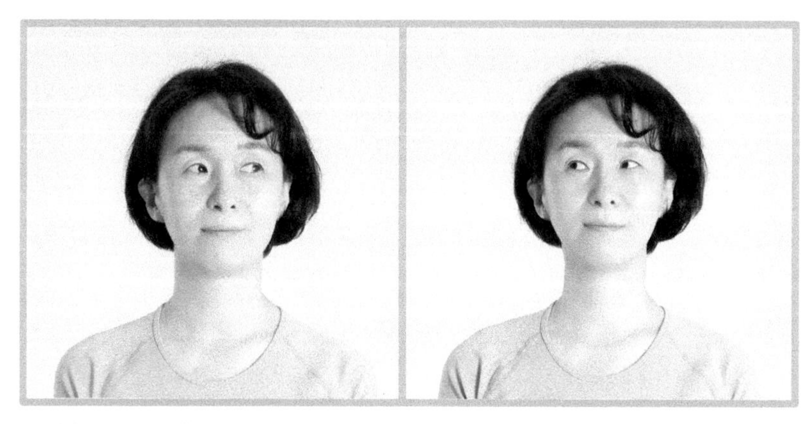

▸좌우로 안구 움직이기

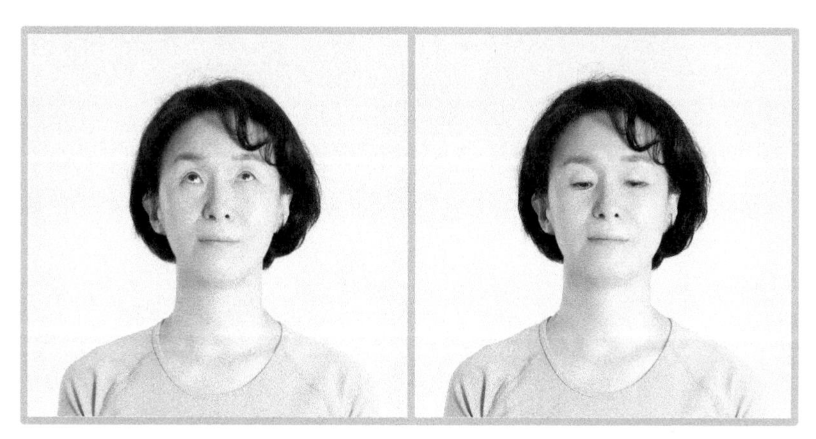

▸상하로 안구 움직이기

03 » 시선 고정시키기

일반적으로 주목하는 물체와 눈을 잇는 선을 가리킨다. 물체의 눈에 대한 상대 운동은 시선방향의 운동과 시선에 직각방향의 운동이 있다. 전자는 시선상에서 물체가 가까워지느냐 여부를 판정해서 측정하고 후자는 시선의 이동으로 측정할 수 있다.

시선의 범위를 확대하기 위해서는 먼저 시선을 고정시킬 필요가 있다. 이러한 시선을 고정시키는 방법은 점의 크기에 따라 특정 점을 고정시키기는 방법이 있다. 시선을 고정하는 훈련 순서는 큰 점, 중간 점, 작은 점의 순으로 시선을 고정시킬 수 있다.

효과적인 시선 고정시키기를 위해서는 안구의 힘을 빼고 두뇌가 이완한 상태에서 실시할 필요가 있다.

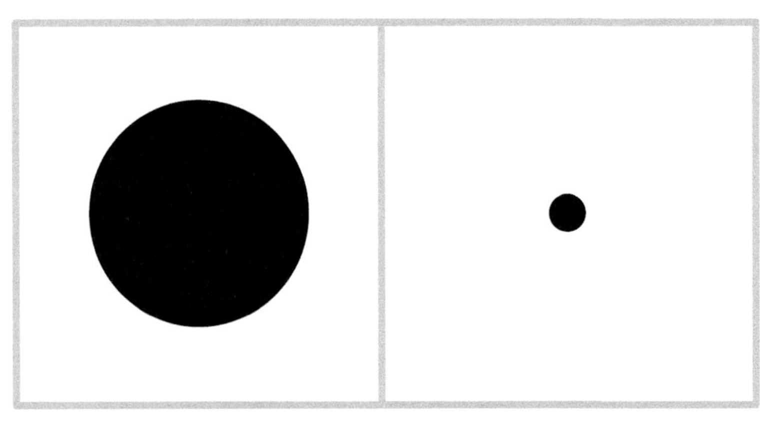

▸큰 점에 시선 고정시키기 ▸작은 점에 시선 고정시키기

04 »

시야 범위 확대하기

시선을 고정시킨 후, 시선의 범위를 확대하기 위해서는 중앙의 특정 점으로부터 가까운 거리, 중간 거리, 먼 거리 등의 순으로 시야를 범위화할 필요가 있다.

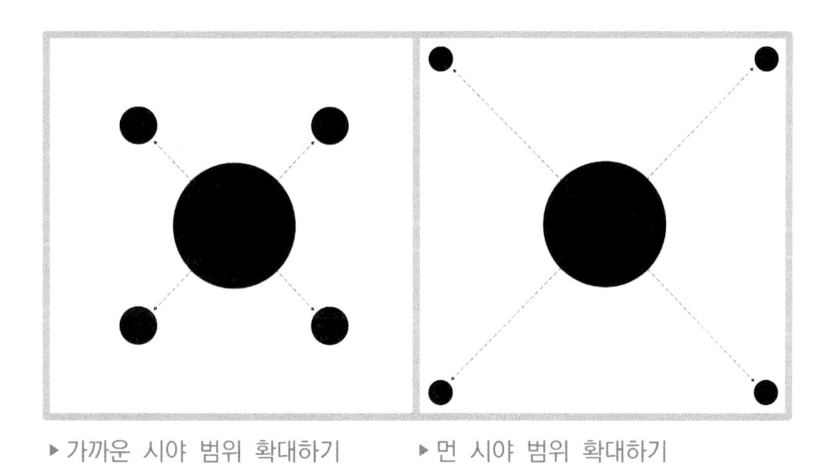

▸ 가까운 시야 범위 확대하기　　▸ 먼 시야 범위 확대하기

먼저 시야 범위의 확대 대상은 모양, 숫자, 글자, 물체 등으로 구분할 수 있다.

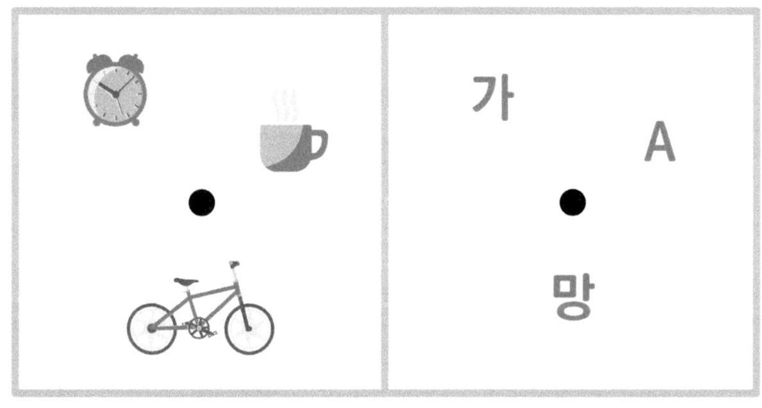

▸ 물체 시야 범위 확대하기　　▸ 글자 시야 범위 확대하기

05 » 협응 능력을 시야 확대하기

손과 눈의 협응 능력을 증가시켜 앞뒤의 시야를 확대시키기 위해서는 엄지손가락을 올리고 팔을 쭉 펴서 눈높이로 올린 후, 엄지손가락 손톱을 바라보고 손을 당겨 15cm 앞에서 손톱을 바라보는 동작을 10회 이상 반복할 수 있다.

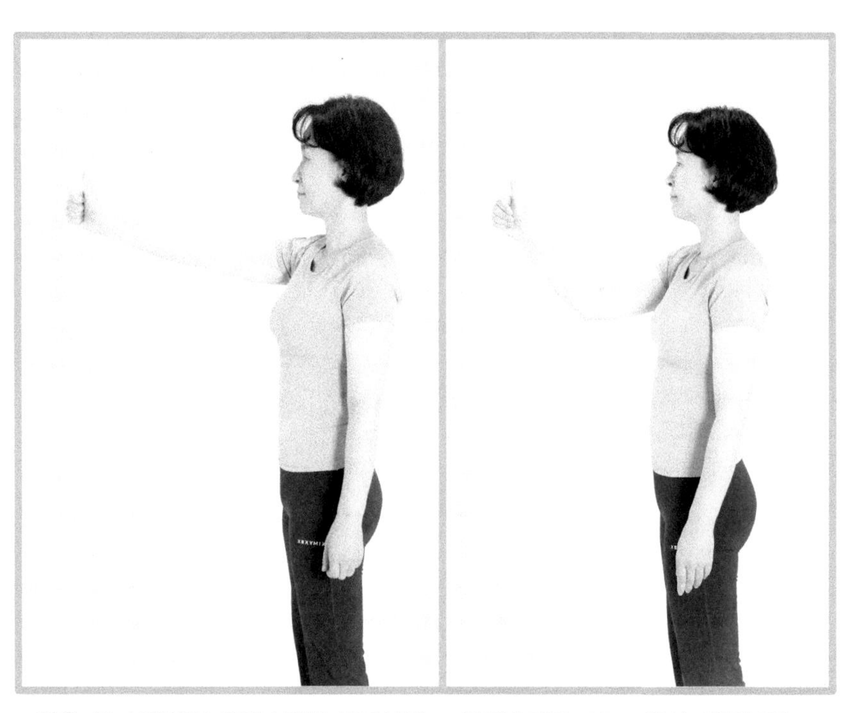

▸ 팔을 편 상태에서 엄지손가락 바라보기 ▸ 엄지손가락 15cm에서 바라보기

또한, 손과 눈의 협응 능력을 증가시켜 좌우의 시야를 확대시키기 위해서는 엄지손가락을 눈높이까지 올리고 천천히 오른쪽으로 손을 옮기며 시선도 따라가고 다시 중앙으로 돌아올 때에는 빨리 돌아오는 동작을 10회 이상 반복할 수 있다.

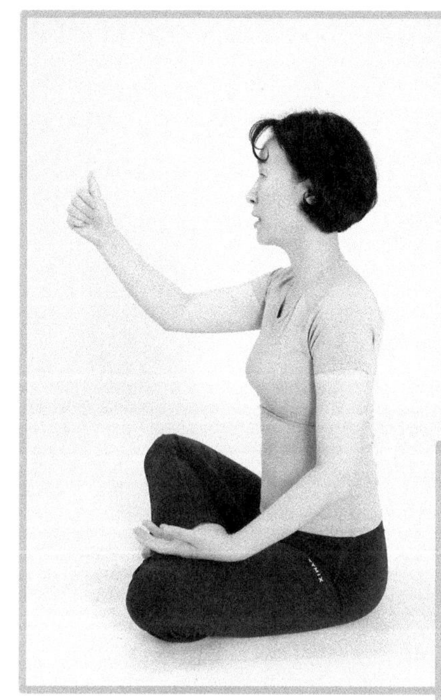

▶ 엄지손가락을 눈높이에서 바라보기

▶ 천천히 오른쪽으로 옮기고 중앙으로 빨리 돌아오기

02 스피드 브레인

01 » 단일 유형에 주의력 향상하기

숫자, 글자, 물체 등 단일한 유형을 몇 초간 바라봄으로써 주의력을 향상시킬 수 있다. 숫자, 글자, 물체 등의 개수를 증가함으로써 주의력을 훈련할 수 있다.

5 9 2 6 1 4	다 가 해 선 락 망
▸숫자를 통한 주의력 향상하기	▸글자를 통한 주의력 향상하기

02 » 혼합 유형에 주의력 향상하기

숫자, 글자, 물체 등의 혼합한 유형을 몇 초간 바라봄으로써 주의력을 향상시킬 수 있다. 숫자, 글자, 물체 등의 혼합한 유형 개수를 증가함으로써 주의력을 훈련할 수 있다.

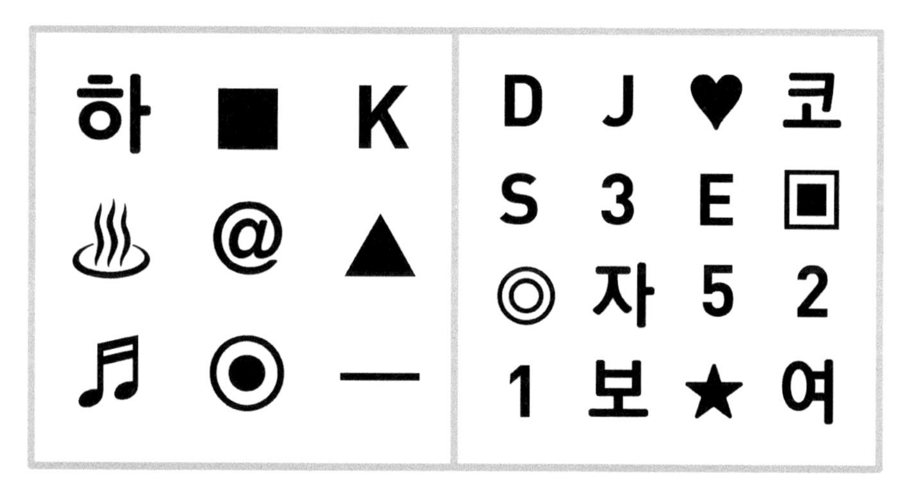

▸ 간단한 혼합 유형을 통한 주의력 향상하기

▸ 복잡한 혼합 유형을 통한 주의력 향상하기

03 » 서로 다른 부분 찾아 주의력 향상하기

두 가지 이상의 그림, 숫자, 물체 등을 보고 서로 다른 부분을 정해진 시간 안에 찾는 훈련을 통해서 주의력을 향상시킬 수 있다.

▸ 서로 다른 부분 찾아 주의력 향상하기

그림 및 행동 관찰하기 03

01 » 그림 보고 반대 방향으로 그리기

반대 방향으로 그리는 훈련은 특정 그림, 숫자, 모양을 보고 거울에 반사된 것처럼 반대 방향으로 그리는 방법으로서, 정해진 시간 안에 특정 그림, 숫자, 모양 등을 관찰한 후, 집중해서 반대 방향으로 그려 시각 주의력을 향상할 수 있다.

특히, 반대 방향으로 그림을 완성한 후, 처음 보여준 그림, 숫자, 모양을 실제적으로 거울로 비춰봄으로써 잘못된 부분을 교정할 수도 있다.

5 9 2 6 1 4	

▸ 그림 보고 반대 방향으로 그리기

02 » 행동 그대로 따라하기

행동 그대로 따라하기 훈련은 두 명씩 서로 짝이 되어 가위, 바위, 보를 하게 한 후, 이긴 학생이 자유롭게 움직이면 진 학생이 거울이 되어 그대로 따라서 정해진 시간 안에서 움직이는 방법이다.

특히, 정해진 시간이 지나면 역할을 바꾸어서 진 사람이 자유롭게 움직이고 이긴 사람이 따라서 움직이게 함으로써 시각 주의력을 향상할 수 있다.

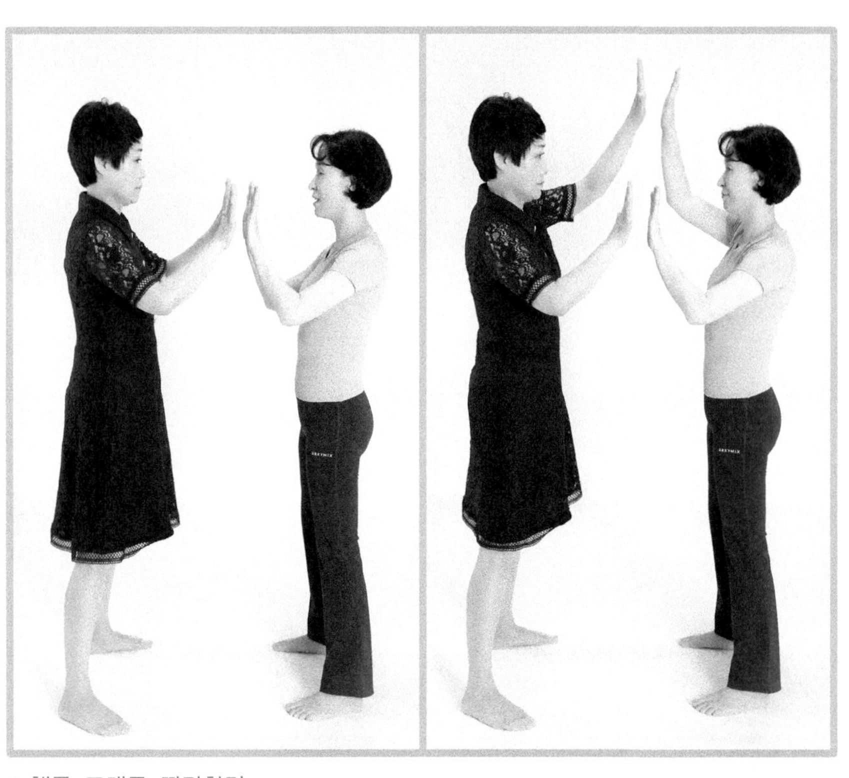

▸ 행동 그대로 따라하기

CHAPTER 04

청각 주의력 향상을 위한 브레인트레이닝

SECTION_

01 듣고 표현하기

01 듣고 지시에 따르기

청각 주의력은 소리의 형태로 주어지는 정보를 처리하여 저장하기 위해 주의를 기울이는 능력이다. 말하는 용어를 듣고 지시에 따르는 훈련은 교사의 지시에 따라서 왼손을 들고, 왼손을 내리고, 오른손을 들고, 오른손을 내리고 등 왼손 및 오른손을 자유롭게 움직이는 동작을 할 수 있다.

또한, 신체 부위를 활용하여 교사가 지시하는 신체 부위와 같이 학생들도 신체 부위를 지정할 수 있도록 해야 한다. 교사가 다른 신체 부위를 지정하더라도 말로 지시하는 신체 부위 용어를 따라야 주의력을 향상할 수 있다.

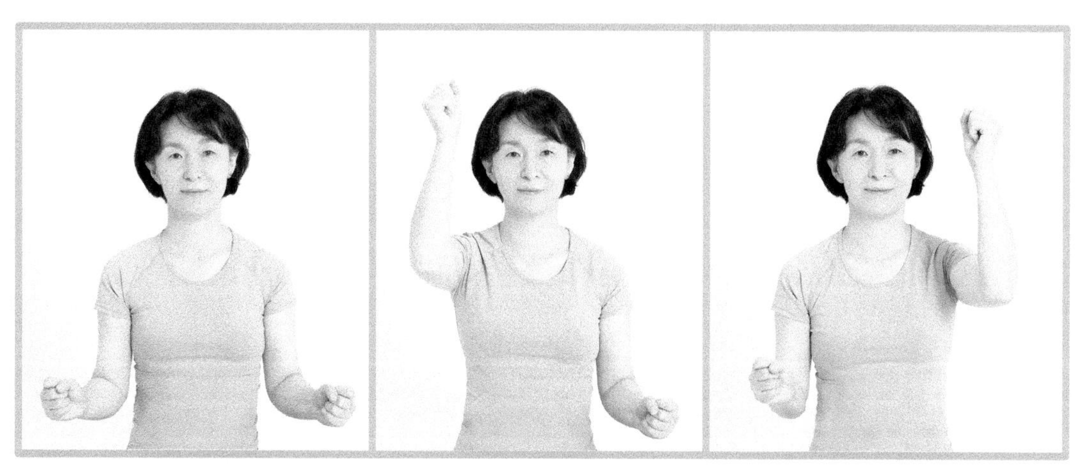

▸ 왼손 및 오른손 게임

▸ 코코코 게임

02 듣고 따라서 그림 완성하기

듣고 따라서 그림을 완성하는 훈련은 교사가 지시하는 모양, 그림 등을 그대로 따라 그리는 방법으로서, 지속적인 청각 주의력을 향상시킬 수 있다. 이러한 지속적인 청각 주의력을 향상시키기 위해서는 모눈종이를 활용해서 교사의 지시에 따라서 정확하게 표현할 수 있어야 한다.

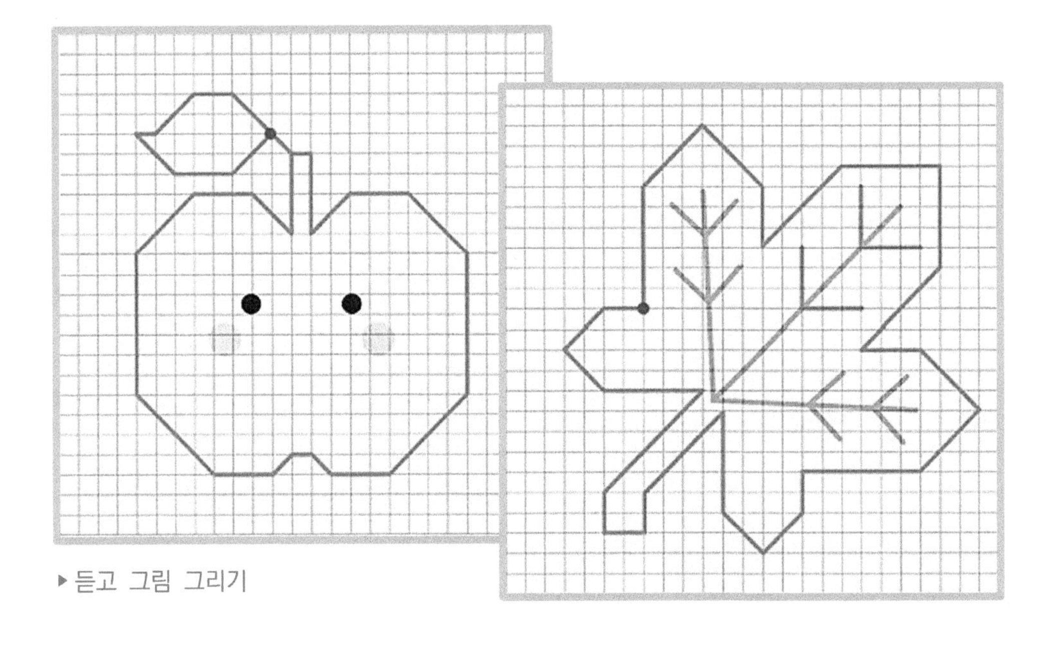

▸ 듣고 그림 그리기

03 » 듣고 귓속말로 전달하기

듣고 귓속말로 전달하는 훈련은 모둠별로 팀을 정해 한 줄로 서서 맨 앞에 서 있는 리더가 교사가 보여주거나 들려주는 특정 단어나 문장, 그림 등을 보고 다음 사람에게 순서대로 전달하는 방법으로서, 청각 주의력을 향상시킬 수 있다.

▸ 듣고 귓속말 전달하기

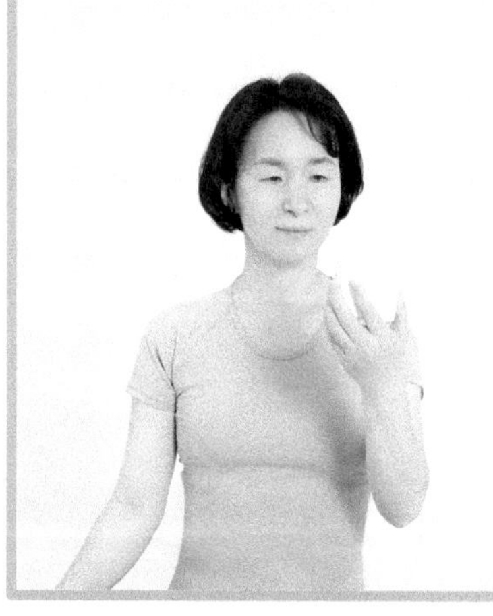

▸ 카드 보고 귓속말 전달하기

02 청각력 집중 훈련

청각력 집중 훈련은 오른쪽과 왼쪽 방향에 따라 집중력 훈련하기, 눈 감고 소리에 따라 찾아가기 등으로 훈련 단계를 높일 수 있다.

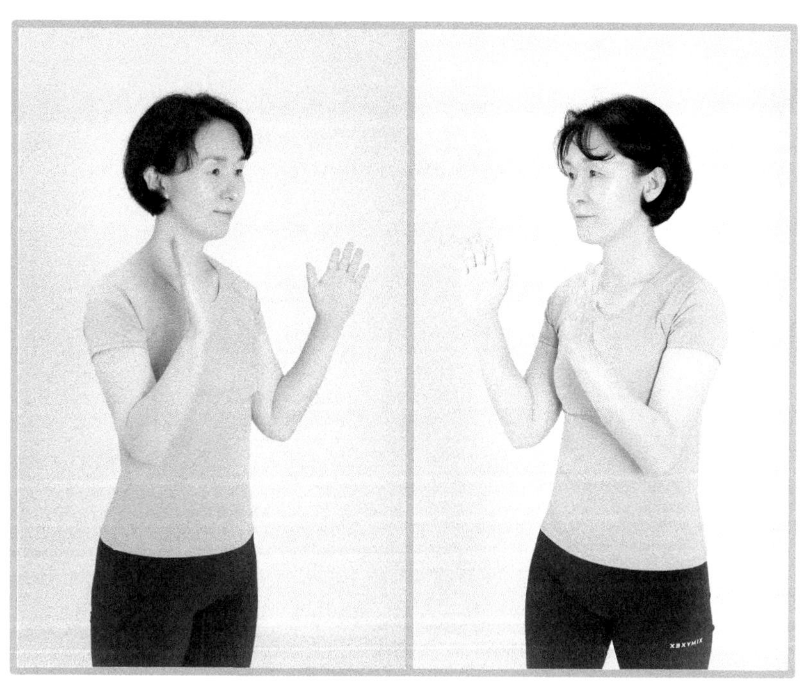

▶좌우 방향에 따라 소리 찾기

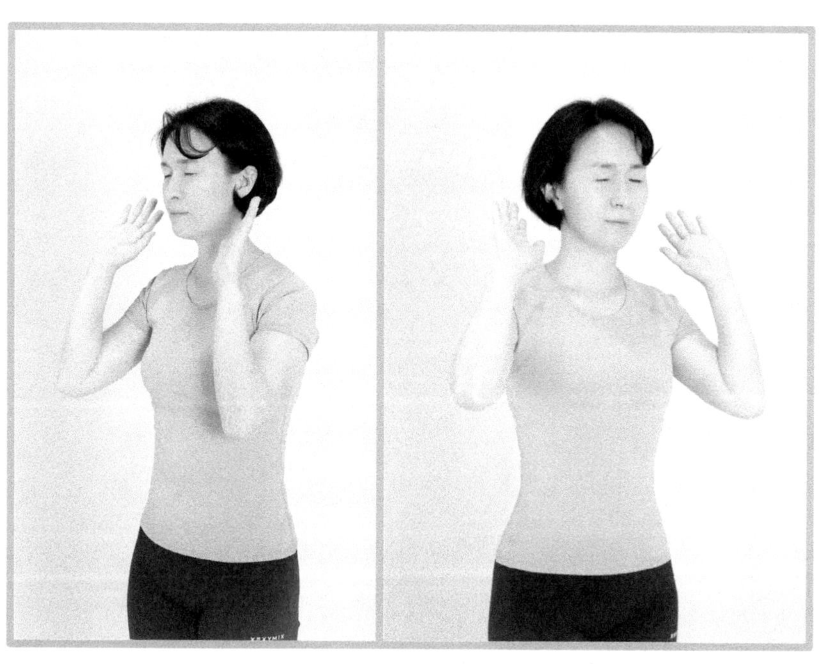

▶눈 감고 소리 찾아가기

03 선택적 청각 주의력 훈련

01 » 반복되는 말에 주의력 향상하기

반복되는 말에 주의력 향상하기 훈련은 여러 가지 들려오는 소리 중에서 특정한 소리나 말에만 주의를 기울이는 방법으로서, 좋아하는 동요, 노래, 시를 듣고 반복되어 나오는 용어가 표현되는 빈도를 파악함으로써 청각 주의력을 향상할 수 있다.

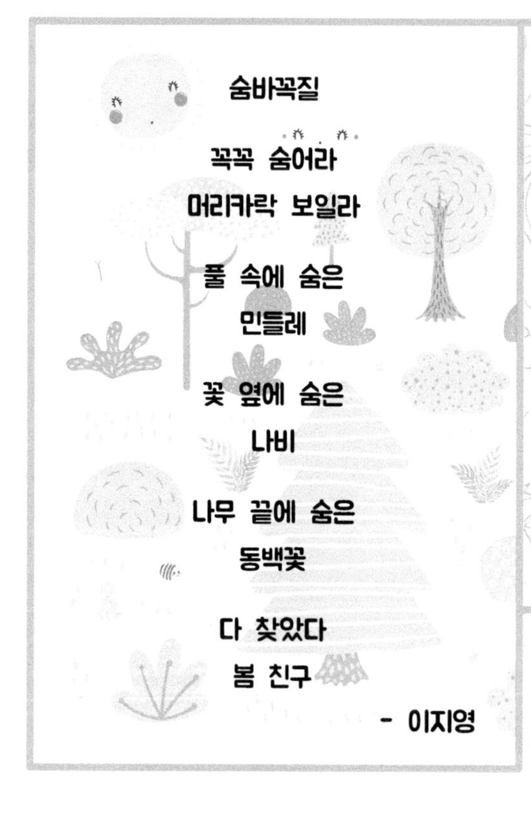

▶ 시 듣고 청각 주의력 향상하기

곰 세 마리

곰 세 마리가 한 집에 있어
아빠 곰 엄마 곰 애기 곰
아빠 곰은 뚱뚱해
엄마 곰은 날씬해
애기 곰은 너무 귀여워
히쭉 히쭉 잘한다

▶ 노래 듣고 청각 주의력 향상하기

02 » 혼합된 소리 구별하기

선택적 청각 주의력 훈련은 들려오는 자연 소리, 인공 소리 등 다양한 소리를 구분하여 구체적으로 몇 가지 소리가 들려오는지, 어떤 소리가 들려오는지 등 선택적으로 청각 주의력을 향상시킬 수 있다.

특히, 다양한 소리를 구분하지 못할 경우에는 2~3회 이상 들려주고 소리를 구분할 수 있는 추가 기회를 제공할 수 있다. 또한, 소리를 구분한 결과에 대한 피드백을 제공하기 위해 들려준 다양한 소리를 다시 듣고 구분할 수도 있다.

04 청각 영상화 훈련

듣고 글자나 숫자를 쓰는 훈련은 들려주는 숫자나 글자를 경청하여 글로 쓰는 방법으로서 단어, 문장, 문단 등으로 훈련 단계를 높일 수 있다.

▶ 듣고 글자 쓰기

▶ 듣고 숫자 쓰기

▶ 듣고 문장 쓰기

▶ 듣고 글자와 숫자 혼합해서 쓰기

CHAPTER

05

집중력 향상을 위한 브레인트레이닝

SECTION_

01 글자나 이미지를 통한 집중력 훈련

집중력은 주의를 기울였을 때 발휘하는 인지적 능력, 정서 인식, 정서 조절, 정서 관리 등의 역량을 의미한다. 이러한 집중력은 신체, 정서, 인지 등을 포함하고 있다.

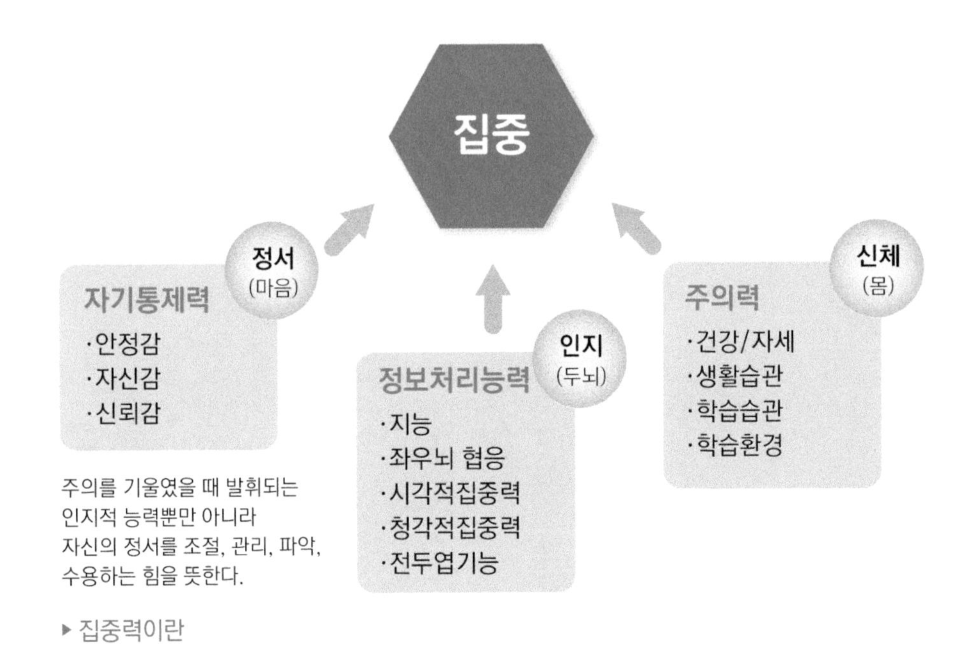

▸ 집중력이란

01 » 알파벳 순서대로 빨리 찾기

다음 표 안에는 알파벳들이 A부터 Z까지 들어 있다. A부터 Z까지 순서대로 찾아서 체크 표시를 한다. 찾으면서 완성된 시간을 체크한다. 횟수를 달리할수록 빠르게 찾는 훈련을 통해 집중력이 향상된다.

표 5.1 ▸ A부터 Z까지 순서대로 찾아서 체크 표시하기

H	X	B	N	D
P	Y	U	G	L
K	A	Q	J	T
S	V	C	W	I
E	M	E	O	F

회차	1	2	3	4	5
시간(초)					

02 » 단어를 활용한 끝말잇기

영어 단어나 국어 단어를 활용해 처음 시작된 단어의 끝말을 이어가 칸을 다 채우면 마지막 단어의 끝말을 다음 칸 왼쪽부터 시작한다.

표 5.2 ▸ 영어 단어를 활용한 끝말잇기

teacher 선생님	**red** 빨강			

teacher 선생님				

03 » 잔상 이미지를 활용한 집중 훈련

아래의 그림을 30초간 응시하고 눈을 감으면 잔상 이미지가 보이게 된다. 잔상 이미지를 오랫동안 볼수록 집중력이 높아진다. 잔상이미지가 보인 시간을 체크한다.

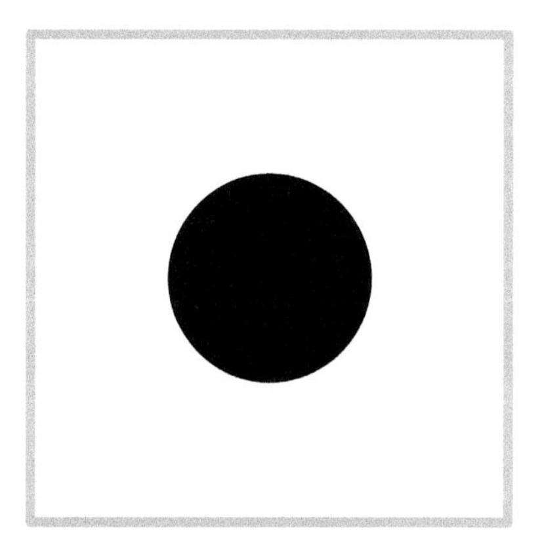

회차	1	2	3	4	5
시간(초)					

➔ 5초 이하 : 꾸준히 집중력 트레이닝을 해야 함

➔ 10초 이상 : 평범

➔ 20초 이상 : 집중력이 높은 상태

오전, 오후, 저녁으로 나누어 체크한 후 자신이 특히 하루 중 어느 때에 주의가 산만해지는지를 확인하면 집중이 잘 되는 시간대를 찾을 수 있을 것이다.

02 명상을 통한 집중력 훈련

01 » 알아차림 명상

알아차림 명상은 지금, 이곳에서, 일어나고 있는 경험에 대해 열린 마음으로 바라보는 것이다. 즉, 자기관찰이다. 내가 하는 생각, 내가 바라는 욕구, 내가 하는 행동을 관찰하고 내가 느끼는 감정과 경험하는 감각을 관찰한다. 또한, 알아차림 명상의 핵심은 자기객관화다. 자기 자신에 대한 객관적 바라봄이고 지금-여기서 무엇을 하고 있는가에 대한 순수한 자각이다.

결국 알아차림 명상은 감각, 인지, 정서, 욕구, 행동 모두 마음의 현상, 즉 의식 경험에 대한, 판단과 분별없이 단지 있는 그대로 인식하는 것이다.

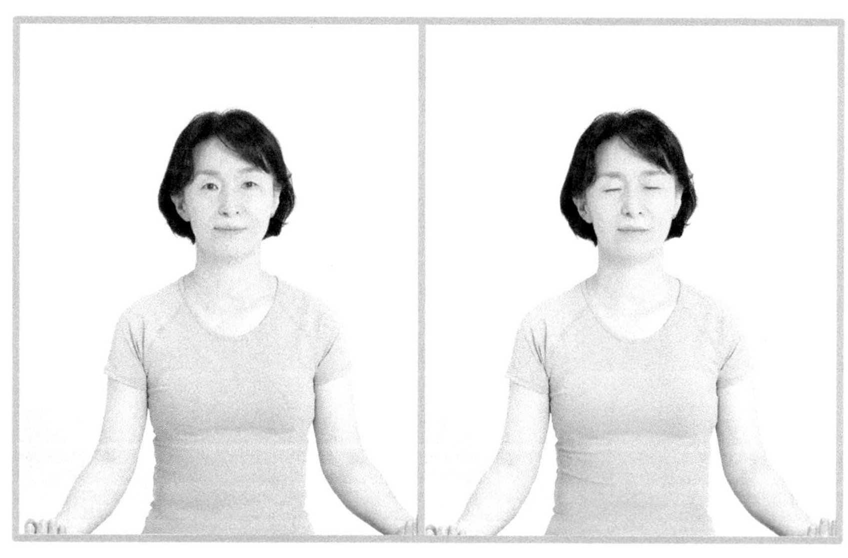

▸ 호흡 알아차림 명상

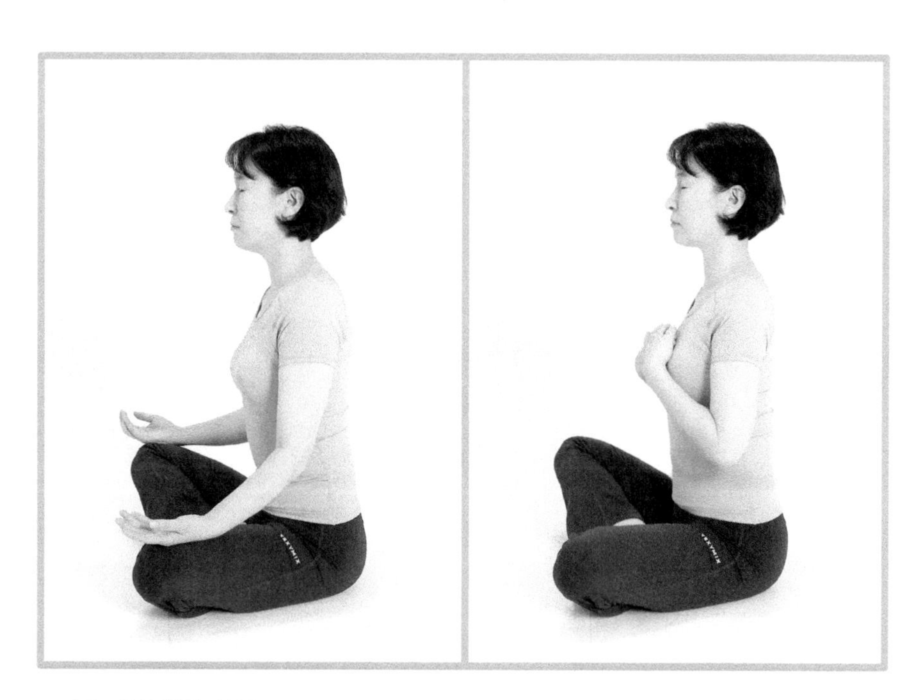

▸ 마음 알아차림 명상

02 » 에너지 집중 명상

에너지 집중명상은 몸의 에너지를 느끼는 감각을 터득함으로써 지금 여기에 집중하는 명상 방법이다. 즉, 자신의 몸 안에 흐르는 에너지를 느끼는 과정에서 생각과 감정이 그쳐지고 명상이 이루어지면서 외부로 향해 있는 의식작용을 내면으로 바꿔주는 것으로 자기를 조절하는 능력을 키워 정서적인 안정과 집중력을 향상시키는 명상 방법이다.

또한, 자신의 에너지를 느끼는 과정에서 에너지의 변화가 일어나고 새로운 창조가 일어난다. 손안의 뭉클한 느낌, 따뜻한 느낌, 찌릿찌릿한 느낌, 본드가 달라붙는 느낌, 사람마다 다르지만 손 안의 무언가 느껴졌다는 건 생각이 멈춰진 상태로 자신의 손에 집중되고 뇌가 활성화된 명상 상태가 이루어진 것이다.

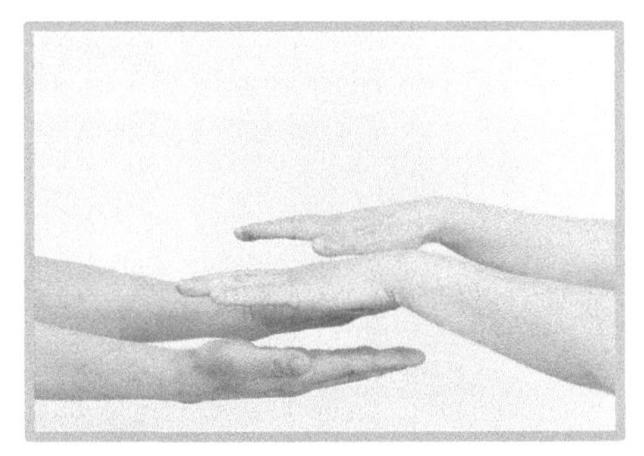

▸ 에너지 교류 명상

▸ 에너지 집중 명상

03 » 싱잉볼 명상

싱잉볼(Singing bowl) 명상은 '노래하는 명상 주발'이라는 뜻을 가진 치유의 도구인 주발을 두드리거나 문질러서 고유의 소리와 소리 진동을 내게 하면 그 소리에 집중하는 명상 방법이다.

또한, 우리 몸은 거대한 진동체이고 이것은 고유 진동수를 가진다. 진동체인 우리 몸은 동기화라는 원리에 의해 서로 작용을 주고받는다. 싱잉볼이 우리의 몸과 마음에 건강과 안정감을 주는 것은 공명, 동기화되기 때문이다. 즉, 소리는 인체 내부의 장기(臟器) 등에도 그 진동을 공명하게 한다.

특히, 싱잉볼 명상은 신체적, 정신적, 영성적 효과가 있다. 신체적으로 근육 이완, 통증 완화, 면역력 증가, 혈액순환 개선의 효과, 정신적으로 긴장. 불안. 화. 우울감 감소, 심신의 안정감 및 활력 증진과 숙면 유도의 효과, 영성적으로 긍정적 자아확립, 내면의 평화, 깊은 명상상태를 체험하는 효과들이 나타난다.

▸ 싱잉볼 문지르기 집중 명상 ▸ 싱잉볼 두드리기 집중 명상

04 » 자석 명상

자석 명상은 페라이트 자석(ferrite magnet)으로 만들어진 타원형의 자석 2개를 활용하여 집중력을 높일 수 있는 명상 방법이다. 이러한 자석 명상을 통해서 긴장된 두뇌가 이완되고 정서를 안정할 수 있다. 또한, 스트레스를 조절할 수 있을 뿐만 아니라, 집중력 및 창의성도 향상할 수 있다.

자석 명상을 실시하기 전에 먼저 목과 어깨 근육과 신경을 풀어주는 활동을 하고 양손에 자석을 잡고 돌리면서 에너지 감각을 느끼는 활동을 실시할 수 있다.

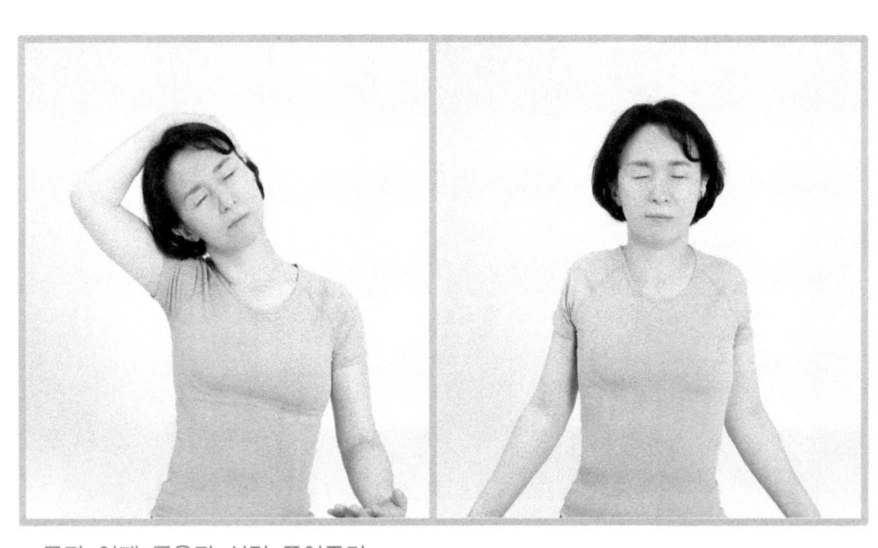

▸목과 어깨 근육과 신경 풀어주기

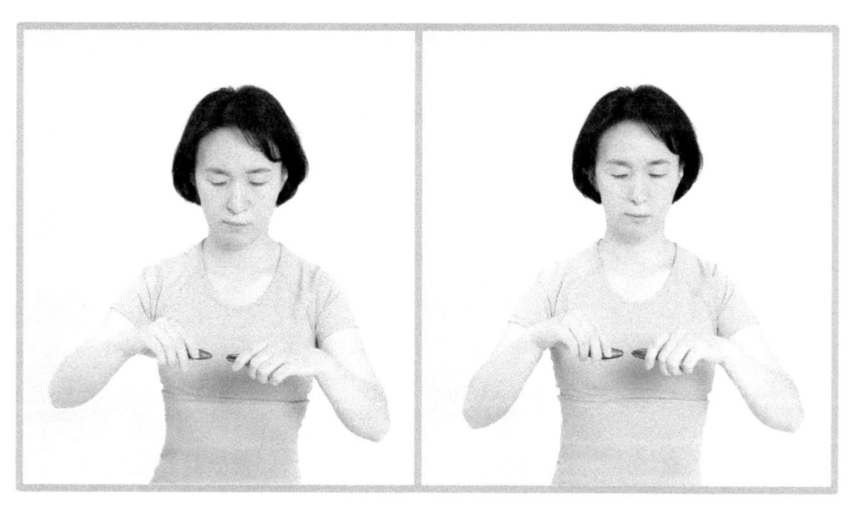

▶ 양손에 자석을 잡고 좌우로 밀고 당기는 에너지 느끼기(돌리면서 에너지 감각 느끼기)

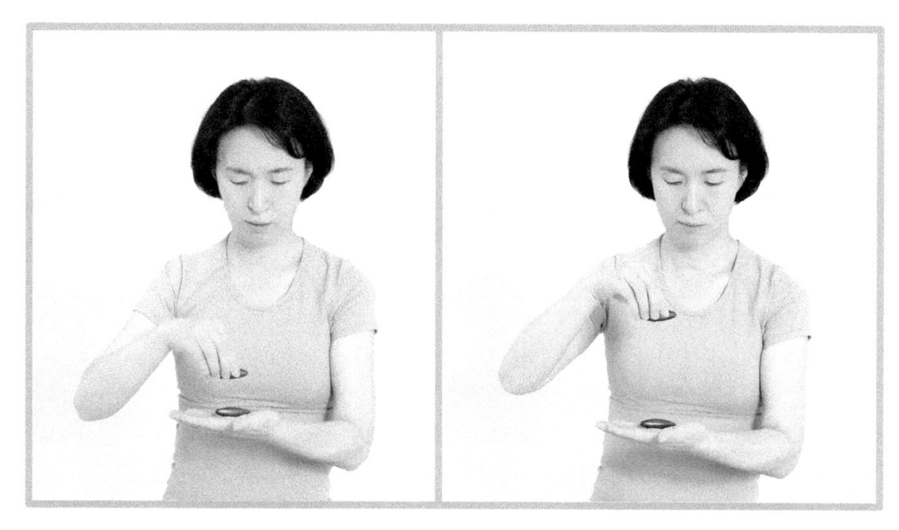

▶ 한 손으로 자석을 감싸고 다른 손에 자석을 놓고 상하로 움직이면서 에너지 느끼기

▸한 손으로 자석을 잡고 평평한 장소에 있는 자석 회전시키기

또한, 머리를 자석으로 가볍게 자극함으로써 두뇌 기능을 활성화할 수 있다. 예를 들면, 자석으로 머리 위 정수리 부분을 문지르기, 정수리와 살짝 떨어뜨려 왼쪽, 오른쪽으로 돌리면서 에너지 느끼기, 자석으로 전두엽 자극하기, 자석으로 측두엽 자극하기, 자석으로 두정엽 자극하기, 자석으로 후두엽 자극하기 등이 있다.

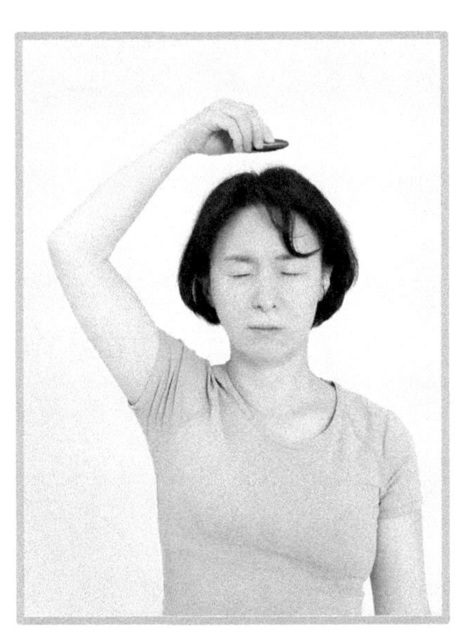

▸자석으로 정수리 부분 에너지 느끼기

▸ 자석으로 두정엽 자극하기

▸ 자석으로 전두엽 자극하기

▸ 자석으로 정수리 자극하기

▸ 자석으로 측두엽 자극하기

▸ 자석으로 후두엽 자극하기

특히, 집중력 향상을 위한 자석 명상을 하기 위해 한 손으로 하나의 자석은 평평한 장소에 세워 놓고 다른 한 손으로 자석을 잡은 후, 두 개의 자석이 붙지 않도록 세우는 연습을 한다. 자석이 세워졌으면 넘어지지 않고 지속적으로 설 수 있는 시간을 늘려 갈 수 있도록 자석 명상을 훈련한다.

▸ 자석 세우는 연습하기 ▸ 자석 명상하기

이 외에도 짝 또는 모둠, 조직 전체가 원형을 만들어서 한 손에 자석을 한 개씩 쥐고 왼손은 옆 사람 손 아래에 두고 오른손은 반대편 옆 사람 위에 둔 후, 오른손을 옆 사람 손 위에서 빙글빙글 돌리면서 양 손에서 느껴지는 에너지에 집중한다. 여러 사람이 만든 에너지장이 큰 원으로 연결되어 있다는 것을 느껴본다.

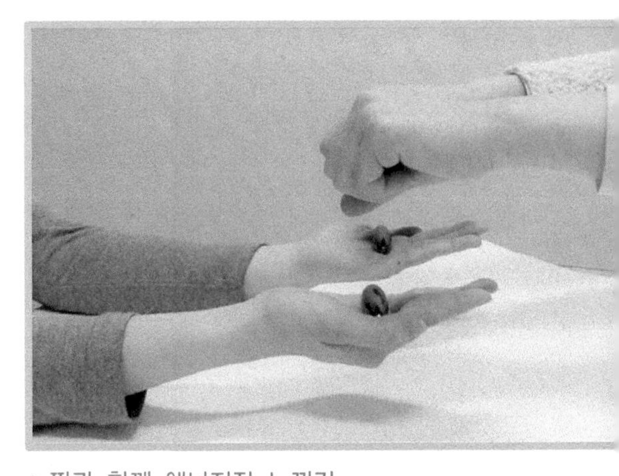

▸ 짝과 함께 에너지장 느끼기

기호를 통한 집중력 훈련 03

01 » 기호 계산하기

기호를 통한 집중력 훈련은 전두엽과 왼쪽 두정엽을 활성화하는 주의집중 및 수리적 방법으로서, 기호를 숫자로 대치하여 수리 능력 및 계산 능력을 향상시킴으로써 기호를 계산할 수 있다.

▲	◎	♡	◐	◑	▣	☆	◈	↑	♥
0	1	2	3	4	5	6	7	8	9

♡◈ + ◈♥ − ◐☆ = → ________

◐◑♥ − ♡▲☆ + ↑▣◎ = → ________

02 » 기호 암호 찾기

기호 암호 찾기 훈련은 전두엽을 활성화하는 주의집중 및 유추 활동을 실시함으로써 각 자음과 모음에 해당하는 기호를 참조하여 제시된 암호를 해결할 수 있다.

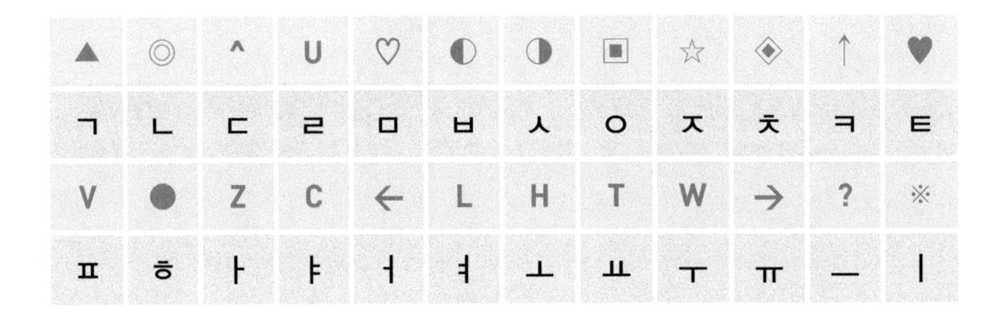

▲	◎	^	U	♡	◐	◑	▣	☆	◈	↑	♥
ㄱ	ㄴ	ㄷ	ㄹ	ㅁ	ㅂ	ㅅ	ㅇ	ㅈ	ㅊ	ㅋ	ㅌ
V	●	Z	C	←	L	H	T	W	→	?	※
ㅍ	ㅎ	ㅏ	ㅑ	ㅓ	ㅕ	ㅗ	ㅛ	ㅜ	ㅠ	ㅡ	ㅣ

◐?U←※▣※◎ ♥?U←※▣※◎← ^W◎H※▲Z▣▲W▲ ↑HU※▣Z

→ ______________________________

CHAPTER

06

기억력 향상을 위한 브레인트레이닝

SECTION_

기억력의 단계는 감각기억, 작업기억(단기기억), 장기기억 순으로 저장할 수 있다. 구체적인 과정을 표와 그림으로 제시하면 아래와 같이 정리할 수 있다.

▸ 기억력의 단계

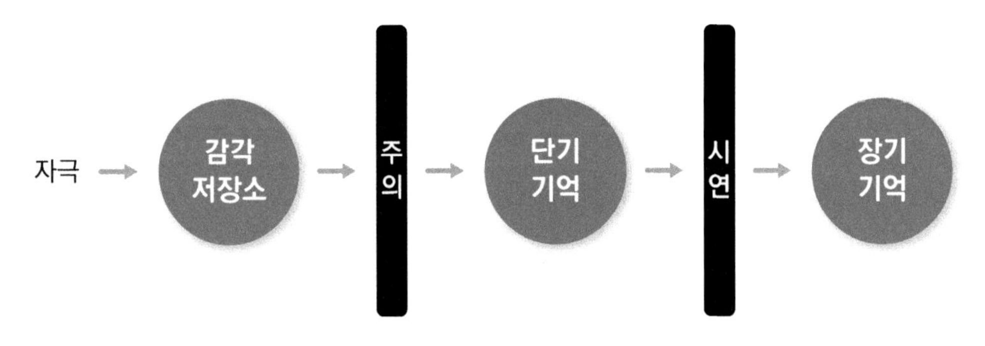

구분	특징
감각기억	• 몇 초에서 1분 정도 기억 • 전화번호를 누르는 동안 번호를 기억하는 것 • 무의식적 기억
작업(단기)기억	• 몇 분에서 몇 시간 정도 기억 • 단기기억 • 사고로 출근길이 막혀 있을 경우 다른 길 찾기 • 의식적으로 항목을 기억하고 관련 활동 수행
장기기억	• 몇 개월에서 평생 기억 • 부호화과정을 통해 정보 저장 • 서술기억(외현기억) : 일화(자서전적) 기억, 의미기억(단어, 사실, 물건, 얼굴 등) • 비서술기억(암묵기억) : 절차기억, 동작기능기억, 정서기억

감각기억 훈련 01

감각기억 훈련은 시각, 청각, 후각, 미각, 촉각 등 오감을 통해서 기억력을 향상시키는 방법으로서, 본 것, 들은 것, 냄새 맡은 것, 맛본 것, 피부로 느낀 것 등 감각기억을 통해서 기억하면 훨씬 더 오래 기억할 수 있다.

01 » 시각 기억 훈련

특정 장소에 있는 물건의 위치, 종류를 그림으로 표현하기

➔ **평창 대관령 하늘목장에 있는 풍력 발전기**

02 » 청각 기억 훈련

특정한 소리를 듣고 말이나 글로 표현하기

➔ 양떼 울음소리

우렁찬 울음소리, 가느다란 울음소리 제 각각의 울음소리였지만, 적당한 햇살과 어우러져 편안함을 느끼게 해주었고, 양들의 울음소리를 떠올리면 먹이를 달라고 내게 천천히 다가왔던 모습들이 떠오른다.

사람을 무서워 하지 않고 다가와 먹이를 받아 먹고 쓰다듬어도 얌전히 있던 귀여운 양들! 함께 갔던 친구는 양이 울면서 다가오자 무섭다고 먹이를 집어 던지고 도망갔던 모습, 그런 친구의 모습이 웃기다며 사진을 찍어주던 또 다른 친구들의 행복해 하는 모습들이 생각난다.

➔ 엄마가 주방에서 탁탁탁 도마에 칼질하는 소리와 찌개 끓는 소리가 들린다.

03 » 후각 기억 훈련

특정 냄새를 맡고 말, 글, 그림 등으로 표현하기

➔ 풀과 축축한 땅 냄새를 맡으면 어릴 적 할머니와 뒷산에 자주 갔던 기억이 떠오른다. 빽빽했던 나무들 사이에서 길 잃을까봐 할머니의 손을 꼭 잡고 나뭇가지 사이로 들어오는 햇빛을 느끼면서 재잘재잘 할머니에게 이야기 했던 나의 모습이 항상 생각이 난다.
숲 속에 가서 크게 숨을 들이마시면 어릴 적 할머니와의 행복했던 추억이 떠올라 편안하고 기분이 좋으면서도 지금은 그렇게 할 수 없는 현실에 슬프기도 하다.
숲 속 풀내음을 맡으면 할머니의 포근한 냄새도 같이 코 끝에서 맴도는 것 같다.

04 » 촉각 기억 훈련

신체를 통해 느껴지는 감각을 말, 글, 그림 등으로 표현하기

➔ 햇볕 쨍쨍한 여름철 바닷가에서 따뜻한 모래사장에 앉아 발바닥에 느껴지는 까슬까슬한 느낌과, 파도가 치면 내 발등을 간질거리고 습기를 머금은 끈적한 바닷바람에 머리카락이 날려 손으로 머리카락을 잡고 바다에 반사되는 빛에 눈이 부셔도 넓은 바다를 바라보고 평소에 쌓여있던 스트레스가 해소가 되는 느낌이다.

02 단기기억 훈련

단기기억 훈련은 감각통로를 통해 투입된 정보가 단기간 저장되는 기억과 과정이며, 일차적 기억이라고도 한다(primary memory). 단기 기억은 대체로 정보를 20~30초 정도 저장하며, 이 기간 동안 활발한 정보처리 현상이 일어난다.

특히, 단기기억은 정보를 조직하는 일시적 단계로서 새로운 정보를 처리하는 데 중요하다. 새로운 정보를 어떻게 조직하고 보관하고 버릴 것인가를 결정하는 부위로서 시상이나 변연계의 여러 부위, 대뇌피질에 있는 전두엽 영역 등이 거론되고 있으나, 가장 핵심적인 역할을 하는 뇌 부위는 해마이다. 해마는 기억을 형성하며 단기기억을 장기기억으로 전환시키는 역할을 담당한다.

해마는 의식되는 기억을 담당하는 뇌 부위로 알려져 있다. 기억을 몇 초 이내에 사라지는 단기기억과 몇 분, 몇 시간, 며칠, 몇 년 동안 기억되는 장기기억으로 나누어 생각할 때, 해마는 장기적인 의식되는 기억(외현기억)을 형성하는 장소이다.

01 » 단어 외우기

측두엽을 활성화하는 언어적 기억활동이다.

- 제한시간 안에 제시된 단어 외우기
- 화면에서 본 단어들을 기억나는 대로 쓰기

02 » 노래 가사 외우기

왼쪽 측두엽을 활성화하는 언어적 기억활동이다.

- 애국가 4절까지 외우기
- 좋아하는 노래 가사 외우기

03 » 문장 외우기

측두엽을 활성화하는 언어적 기억활동이다.

- 제한시간 안에 제시된 문장 외우기
- 화면에서 본 문장들을 기억나는 대로 쓰기

03 작업기억 훈련

작업기억이란 정보들을 일시적으로 보유하고, 각종 인지적 과정을 계획하고 순서를 지으며 실제로 수행하는 작업장으로서의 기억을 의미한다. 1974년 Baddeley와 Hitch은 단기기억과 장기기억이라는 이분법적 체계에 대하여 문제를 제기하면서 다양하고 복잡한 인지작용을 담당하는 작업기억이라는 개념을 도입한 것이다.

Baddeley(2000)는 작업기억에 대한 수정된 연구를 발표하면서 작업기억의 개념에 '일시적 완충기'라는 개념을 도입하였다. 왜냐하면 기존의 이론이 중앙 집행체계의 한정된 유지기능으로는 이해와 추론과 같은 작용을 설명하기에 부족했기 때문이다. 즉 시간 순서에 따라 입력되어 저장된 기억을 장기기억에서 인출하여 이를 재배열하는 작업은 중앙 집행체계에 보관하면서 바로 수행하는 것이 아니라 임시 완충기에서 임시 저장하면서 재배열 기능이 수행되는 것이라 설명할 수 있게 되었다.

작업기억에서 사용하는 정보들은 시각적, 청각적으로 부호화 하다가 나중에 언어 의미적 부호로 변화된다. 작업기억의 기억용량은 개인마다 차이가 있지만 일반적으로 7±2개이며, 이를 넘어서면 소멸되거나 간섭을 받게 된다. 작업기억은 정보를 저장하는 기능 이외에 정보를 이용하기 때문에 운용기억이라고도 불린다.

01 » 작업기억 훈련

전두엽을 활성화하는 작업기억 활동이다.

- 100에서 13을 순차적으로 빼기
- 전화번호 거꾸로 말하기
- 긴 단어 거꾸로 말하기
- 장기나 바둑에서 다음 수 생각하기
- 교사가 불러주는 숫자를 듣고 숫자 더하기

04 장기기억 훈련

장기기억은 감각통로를 통해 투입된 정보가 단기 기억의 과정을 거쳐 비교적 영속적으로 저장되는 기억의 과정으로 2차적 기억(secondary memory)이라고도 하며, 장기기억에 저장된 정보는 다시 재생·활용되고 반응으로 나타난다. 장기기억은 그 수용능력이 제한되어 있지 않고 비교적 영속적인 저장이 가능한 것으로 보고 있다. 한편 장기기억에 저장된 정보는 조직적이고 체계화된 형태로 저장되는 것으로 보고 있다.

특히, 장기기억은 측두엽에 위치한다. 측두엽은 언어, 청각, 기억을 담당하며 특히 해마는 기억을 형성하며 단기기억을 장기기억으로 전환시키는 역할을 담당한다.

01 » 묶어 외우기(청킹 기법)

■ 단어를 종류별로 묶어서 외우기

귀고리, 선생님, 숙제, 팔찌, 목걸이, 눈사람, 난로, 겨울, 반지, 크리스마스, 칠판, 필통, 머리핀, 학교, 썰매, 왕관, 연필, 썰매, 팬던트, 군고구마, 도시락

02 » 첫 글자만 모아서 외우기

■ 단어나 문장의 첫 글자만 모아서 외우기

예시 국사공부를 할 때 조선시대 왕명을 '태정태세문단세/예성연중인명선/광인효현숙경영/정순헌철고순'으로 외우기

→ 단어의 첫 글자를 따서 외우면 나머지는 자동으로 조합시킬 수 있어 외우는 양을 최소화하는 효과적인 기억법

05 두뇌유형에 적합한 기억력 훈련

두뇌유형을 구분하는 가장 일반적인 기준은 좌뇌와 우뇌로 구분하는 것으로서 로저 스페리의 연구에서 기인한다. 당시 뇌전증에 대한 치료법으로 좌뇌와 우뇌를 연결하는 뇌량을 절단한 환자들을 대상으로 한 연구를 통해, 좌뇌와 우뇌의 대조적인 정보처리 기능과 상호보완적인 기능들에 대해 밝혔다. 좌뇌는 주로 분석적, 논리적, 언어적 사고의 특성을 가지고, 우뇌는 주로 시각적, 직관적, 전체적인 사고의 특성을 담당한다.

▸ 좌뇌와 우뇌 기능 비교

구분	기능
좌뇌	• 순차적이고 계속적인 행동을 끊임없이 점검한다. • 시간, 계열, 세부(details), 순서에 대한 인식을 담당한다. • 청각적 수용, 언어적 표현을 담당한다. • 단어, 논리, 분석적 사고, 읽기와 쓰기를 전문적으로 다룬다. • 옳고 그름에 대한 경계와 인식을 담당한다. • 규칙과 최종 기한을 알고 따른다.
우뇌	• 신기성(novelty)에 주의를 기울이게 하며, 누군가나 거짓말이나 농담을 할 때 그것을 알려준다. • 전체적인 상황을 이해하는 것을 전문적으로 다룬다. • 음악, 미술, 시각-공간적 및 시각-운동적 활동을 전문적으로 다룬다. • 책을 읽거나 이야기할 때 심상(mental images)을 형성하도록 돕는다. • 직관적 및 정서적 반응을 담당한다. • 관계를 형성하고 유지하도록 돕는다.

01 » 좌뇌에 적합한 기억력 훈련

분석적, 논리적, 계획적인 특성을 가진 좌뇌 유형은 장소나 숫자 등을 암기 단어와 연결하는 연상 결합법을 통한 기억력 훈련, 암기해야 할 단어를 스토리텔링 형태로 표현하는 기억력 훈련 등이 있다.

❶ 연상결합법을 통한 외우기

- 장소(거실, 안방 등)나 숫자(1, 2 등)를 단어와 연결하기

침대, 물고기, 카펫, 드레스

예시 침대 위에 커다란 물고기가 있는데 그 물고기가 바닥의 카펫을 꼬리로 힘차게 치자 벽에 있던 드레스가 카펫 위로 떨어졌다.

❷ 스토리텔링을 활용한 외우기

- 기억해야 할 단어를 스토리텔링 형태로 외우기

고양이, 로봇, 부엌, 라면, 달걀, 양파

예시 고양이 로봇이 부엌에서 달걀과 양파를 넣어 라면 끓이고 있다.

02 » 우뇌에 적합한 기억력 훈련

직관적, 감성적, 시각적인 특성을 가진 우뇌 유형은 상상 훈련을 활용한 기억력 훈련, 개념도나 그래픽 조직자를 활용한 기억력 훈련 등이 있다.

❶ 상상훈련을 활용한 외우기

■ 기억해야 할 단어를 그림 형태로 외우기

고양이, 로봇, 부엌, 라면, 달걀, 양파

예시 고양이 로봇이 부엌에서 달걀과 양파를 넣어 라면 끓이고 있는 장면을 상상한다.

❶ 개념도나 그래픽 조직자를 활용한 외우기

■ 단어, 문장, 문단 내용을 개념도나 그래픽 조직자로 표현하기

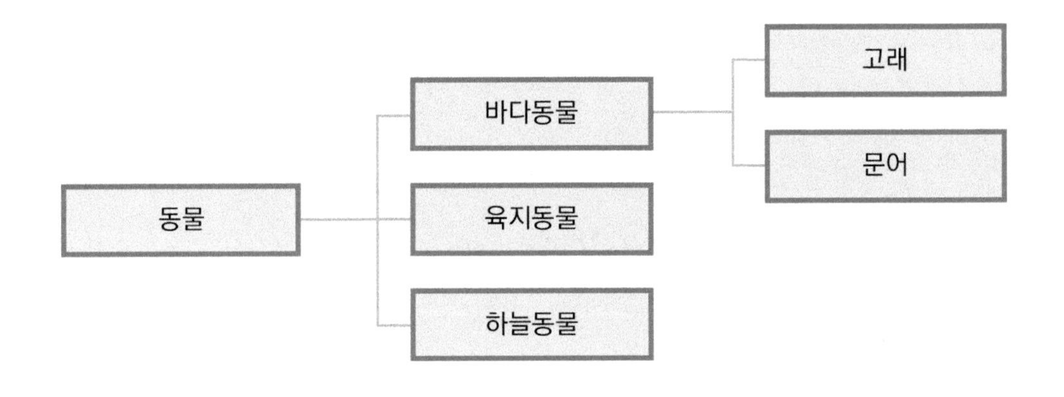

03 » 전뇌에 적합한 기억력 훈련

좌뇌와 우뇌를 통합하여 전뇌를 활용한 기억 훈련 방법은 마인드 맵을 활용한 기억 훈련, 하루 영상화 기법을 통한 기억 훈련 등으로 구분할 수 있다.

먼저 영국 Tony Buzan에 의해 고안된 마인드맵은 인간의 두뇌란 무한한 용량의 컴퓨터에서 읽고, 생각하고, 기억하는 모든 것들을 마치 두뇌 속에 지도를 그리듯이 해야 한다는 독특한 방법으로 노트 필기에 효과적이다. 이것은 시각적 형태를 통해서 개념을 조직화, 맥락화, 심상화하는 창의적인 방법이다.

❶ 마인드맵을 활용한 외우기

▪ 마음속에 지도를 그리듯이 줄거리를 이해, 정리하는 방법

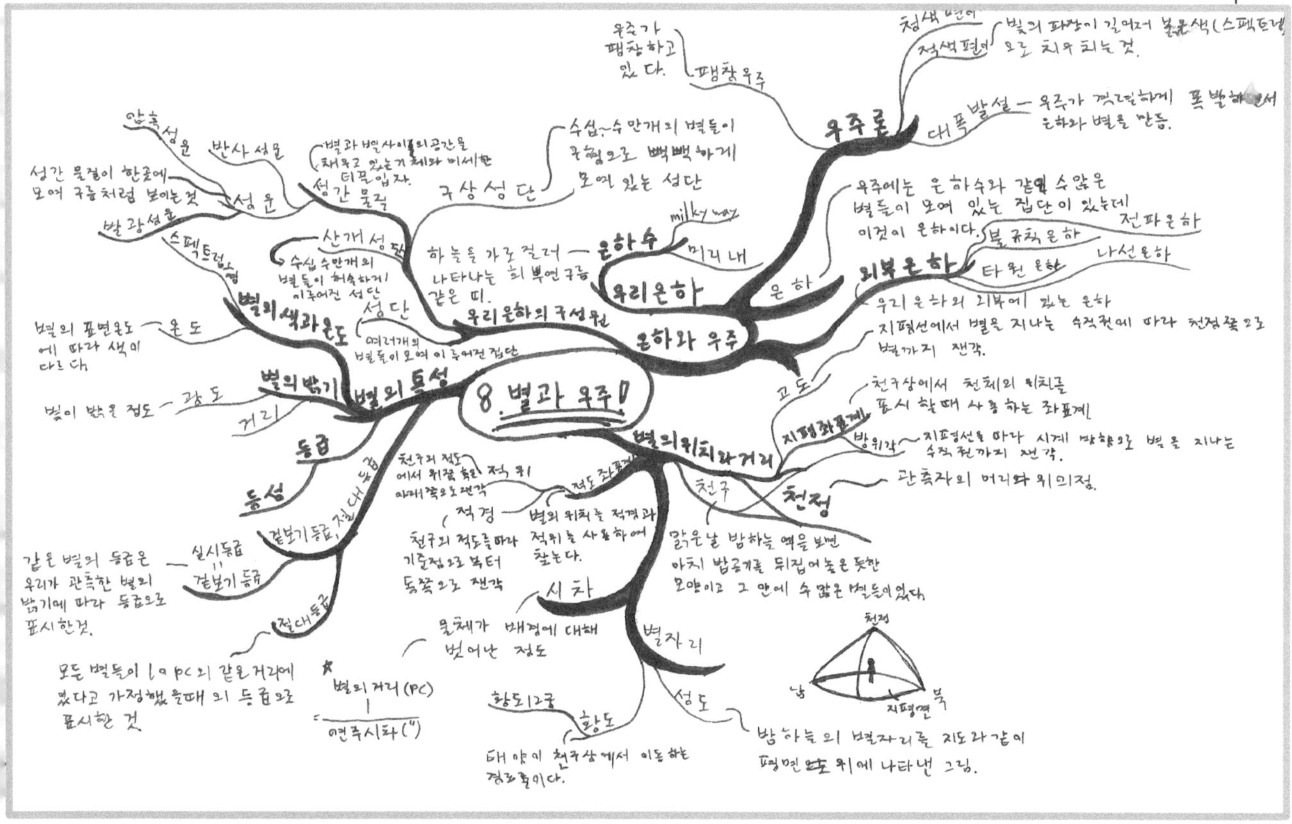

특히, 마인드 맵은 다양한 정보와 복잡한 생각을 지도를 그리듯이 핵심단어(keyword), 심상(Image), 색(Color), 기호(Code), 상징(Simbol) 등을 방사상 모양으로 펼쳐 시각화함으로써, 인간 두뇌의 좌뇌와 우뇌를 동시에 활용하는 학습법으로 효율적인 기억 방법이다.

시각적인 영상화 기법을 활용해서 일의 순서나 공부하는 과정에서 나타나는 핵심 내용을 요약하고 기억력을 향상할 수 있다. 특히, 하루 영상화 기법은 아침, 점심, 저녁 등 하루 시작부터 마무리까지 과정을 구조화해서 정리하고 암기할 수 있다.

❶ 하루 영상화 기법을 통한 외우기

- 아침, 점심, 저녁 등 하루 일과 영상화하기

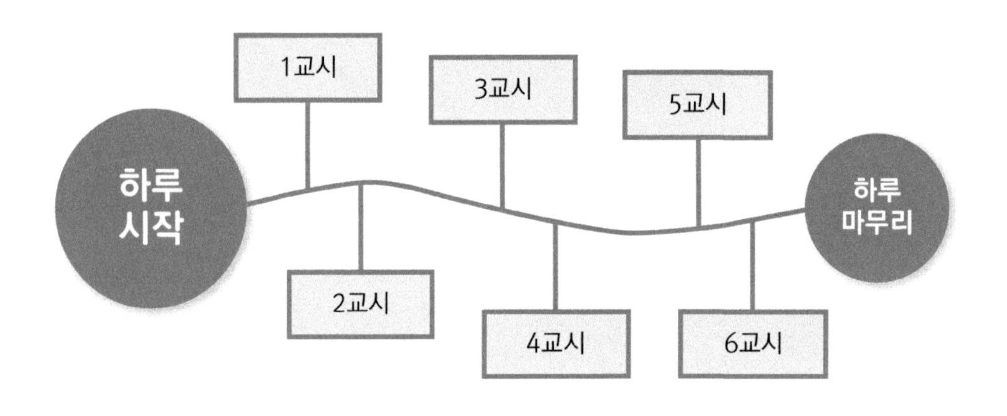

06 두뇌 통합을 위한 기억력 훈련

분석적, 논리적, 계획적인 좌뇌 유형은 학습 내용을 표, 글 등으로 잘 구조화하지만, 그림 등으로 표현하지 못하는 반면에, 직관적, 감성적, 시각적인 우뇌 유형은 학습 내용을 그림 등으로 잘 구조화하지만, 표, 글 등으로 구조화하지 못하는 경향이 있다.

따라서, 다음과 같이 좌뇌 유형에게는 그림 등 심상 훈련을 통한 구조화 방법으로 기억력을 훈련하고, 우뇌 유형에게는 표나 글 등을 통한 구조화 방법으로 기억력을 훈련할 필요가 있다.

01 » 좌뇌 유형의 우뇌 계발을 위한 기억력 훈련

■ 표로 요약된 내용을 그림으로 표현하기

계절	봄	여름	가을	겨울
날씨	따뜻	더움	시원	추움

예시

02 » 우뇌 유형의 좌뇌 계발을 위한 기억력 훈련

■ 그림으로 요약한 내용을 글이나 표로 표현하기

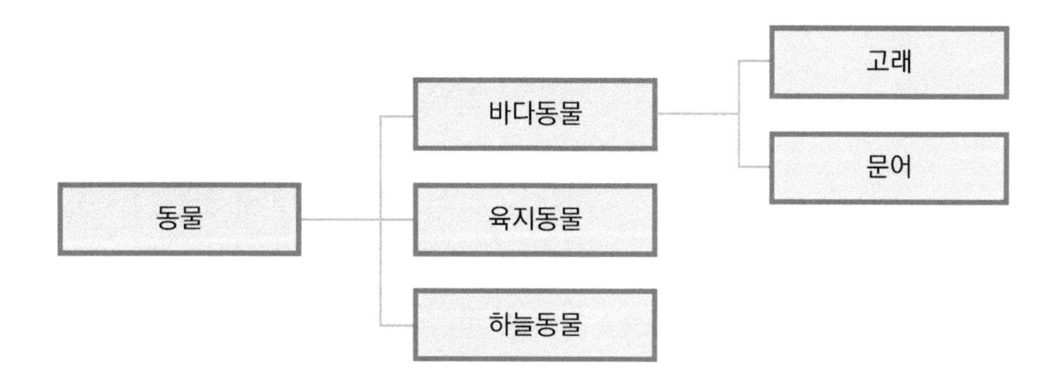

예시

구분	종류
바다동물	고래
	문어
육지동물	
하늘동물	

BRAIN TRAINING

브레인트레이닝의 심화 기능

제3부 03

CHAPTER

07

이해력 향상을 위한 브레인트레이닝

SECTION_

01. 핵심 단어 파악하기
02. 핵심 내용 파악하기
03. 핵심 내용 구조화하기
04. 핵심 문장 파악하기
05. 브레인 맵 만들기

01 핵심 단어 파악하기

핵심 내용 파악하기 훈련은 핵심 단어 찾아 동그라미 표시하기, 핵심 단어로 문장 만들기 등으로 정리할 수 있다.

01 » 핵심 단어 찾아 동그라미 표시하기

중요한 단어와 중요하지 않은 단어를 구분한다.

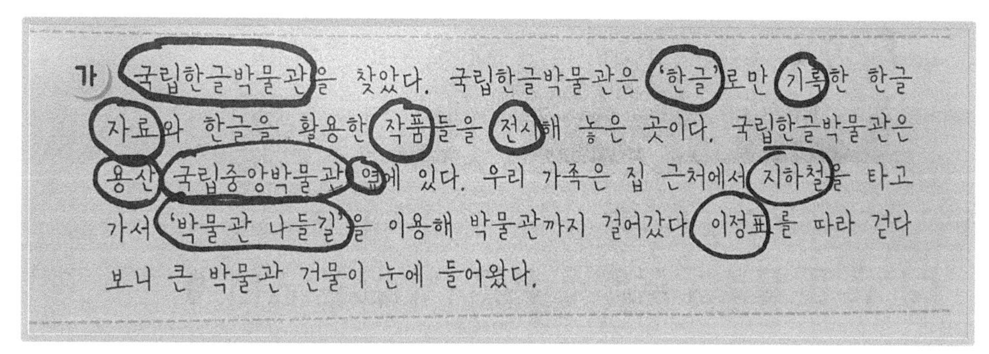
가) 국립한글박물관을 찾았다. 국립한글박물관은 '한글'로만 기록한 한글 자료와 한글을 활용한 작품들을 전시해 놓은 곳이다. 국립한글박물관은 용산 국립중앙박물관 옆에 있다. 우리 가족은 집 근처에서 지하철을 타고 가서 '박물관 나들길'을 이용해 박물관까지 걸어갔다. 이정표를 따라 걷다 보니 큰 박물관 건물이 눈에 들어왔다.

▸ 핵심 단어 찾아 동그라미 표시하기

02 » 핵심 단어로 문장 만들기

핵심 단어를 연결하여 1개 또는 2~3개 문장으로 표현한다.

국립한글박물관은 한글로만 기록한 자료와 작품들을 전시해 놓은 곳이다.

▸ 동그라미 표시한 단어로 문장 만들기

02 핵심 내용 파악하기

핵심 내용 파악하기 훈련은 문장을 의미 단위로 구분하기, 중심 내용과 세부 내용으로 구분하기 등으로 정리할 수 있다.

01 » 문장을 의미 단위로 구분하기

하나의 문장을 2~3개 이상의 핵심 의미 단위로 나눈다.

창훈이가 한 말과 행동

일이 이쯤 되자 창훈이는 슬슬 웃기기 작전을 쓰기 시작했어요. 보일 듯 말 듯한 작은 새우 눈으로 눈웃음을 살살 지으며, 콧구멍을 벌름거리고 입을 펭귄처럼 쭉 내밀고는, "우진아, 한 번만 봐줘잉. 난 선생님이 제일 무서웡." 하고 콧소리를 내며 말하는 거지요.

▸ 문장을 의미 단위로 구분하여 사선 긋기

02 » 중심 내용과 세부 내용을 표로 나타내기

주제, 중심 내용, 세부 내용 구분하여 표로 나타낸다.

바람은 이름이 참 많아. 바람이 불어오는 방향에 따라 동풍(샛바람), 서풍(하늬바람), 남풍(마파람), 북풍(된바람)이라고 하고, 세기에 따라서 실바람, 노대바람(강한 바람)이라고 하기도 하지. 또 바람은 부는 장소에 따라 세기가 달라져. 바람개비로 우리 주변에서 바람이 센 곳과 약한 곳을 찾아봐.

주제	• 바람의 이름
중심내용	• 바람은 방향과 세기에 따라 이름이 다르다.
세부내용	• 바람은 불어오는 방향에 따라 동풍(샛바람), 서풍(하늬바람), 남풍(마파람), 북풍(된바람) • 세기에 따라 실바람, 노대바람(강한 바람)이라고 한다.

▸ 주제, 중심 내용, 세부 내용 구분하여 표로 나타내기

03 핵심 내용 구조화하기

핵심 내용 구조화 훈련은 핵심 내용을 표로 구조화하기, 심상 기법을 활용한 구조화하기, 정보처리 기법을 활용한 구조화하기 등으로 정리할 수 있다.

01 » 핵심 내용을 표로 구조화하기

단어, 문장, 문단 내용을 표로 표현한다.

봄은 따뜻하다. 여름은 덥다. 가을은 시원하다. 겨울은 춥다.

예시

계절	봄	여름	가을	겨울
날씨	따뜻	더움	시원	추움

02 심상 기법을 활용한 구조화하기

학습한 내용을 만화나 그림 등으로 구조화한다.

예시

04 핵심 문장 파악하기

핵심 문장 파악하기 훈련은 하나의 문단에서 중요한 문장 파악하기, 중심 내용과 세부 내용으로 구분하기 등으로 정리할 수 있다.

01 » 핵심 문장 찾아 밑줄로 표시하기

중요한 문장과 중요하지 않은 문장 구분하여 밑줄을 긋는다.

사람은 직업에 따라 고유한 색깔 옷을 입기도 한다. 직업의 특성에 따라 특정 색깔의 옷이 일을 하는 데 도움이 되기 때문이다.

의사나 간호사는 보통 흰색 옷을 입는다. 감염에 민감한 환자들이 있는 병원에서는 위생이 매우 중요한 문제이기 때문이다. 흰색 옷은 옷이 더러워졌을 때 이를 쉽게 알아차릴 수 있게 해 준다. 약사나 위생사, 요리사와 같이 청결을 유지해야 하는 일을 하는 사람들도 마찬가지로 흰색 옷을 입는다.

법관은 검은색 옷을 입는다. 예전 서양에서는 신분에 따라 입을 수 있는 옷 색깔이 정해져 있었지만, 검은색 옷은 누구나 입을 수 있었다. 법관의 검은색 옷은 법 앞에서 모든 사람이 평등하다는 뜻을 나타내며, 다른 것에 물들지 않고 공정하게 재판해야 한다는 의미를 담고 있다.

군인은 주변 환경과 상황에 따라 옷 색깔을 달리하여 입는다. 전투를 벌일 때 적군 눈에 쉽게 띄면 안 되기 때문이다. 예전의 화약 무기는 한번 사용하면 연기가 자욱하여 적군과 아군을 구분하기가 힘들었다. 따라서 당시에는 강한 원색의 군복을 입었다. 오늘날에는 기술이 발달하여 군인은 대부분 주변 환경과 구별하기 힘든 색의 옷을 입는다.

사람들은 직업에 따라 입는 옷 색깔이 다양하다. 옷 색깔이 무엇을 뜻하는지 안다면 그 직업을 더 잘 알 수 있다.

▸ 핵심 문장 찾아 밑줄로 표시하기

02 » 핵심 문장으로 문단 만들기

핵심 문장을 연결하여 1개 또는 2~3개 문단으로 표현한다.

사람은 직업에 따라 고유한 색깔의 옷을 입기도 한다. 특정 색깔의 옷은 일 하는 데 도움이 된다. 의사나 간호사는 흰색 옷을 입는다. 감염에 민감한 환자들은 위생이 중요하기 때문이다. 또 약사나 위생사, 요리사와 같이 청결을 위해서도 흰색 옷을 입는다.

법관은 검은색 옷을 입는다. 서양에서는 신분에 따라 옷 색깔이 정해져 있었지만, 검은색 옷은 누구나 입을 수 있어서 법 앞에서 모는 사람들이 평등하고 공정하게 재판해야 한다는 의미를 담고 있다.

군인은 주변 환경에 따라 옷 색깔을 달리 입는다. 전투시 적눈의 눈에 쉽게 띄면 안 되기 때문이다. 옷 색깔이 무엇을 뜻하는지 안다면 그 직업을 더 잘 알 수 있다.

▸ 밑줄 친 문장을 문단으로 만들기

05 브레인 맵 만들기

브레인 맵(Brain Map) 만들기 훈련은 학습 내용 분류하기, 정보처리 기법을 활용한 구조화하기 등으로 정리할 수 있다.

01 » 학습 내용 분류하기

특정 기준에 따라서 공통점, 차이점 등으로 분류한다.

공통점	차이점
직업에 따라 고유의 옷 색깔이 있다.	직업 특성에 따라 옷 색깔이 다르다. •흰색 : 의사, 간호사, 약사, 위생사, 요리사 •검은색 : 법관 •주변 환경과 구별하기 힘든 색 : 군인

▸ 학습 내용 분류하기

02 » 정보처리 기법을 활용한 구조화하기

도입, 전개, 정리 등의 정보처리 과정에 따라 표현한다.

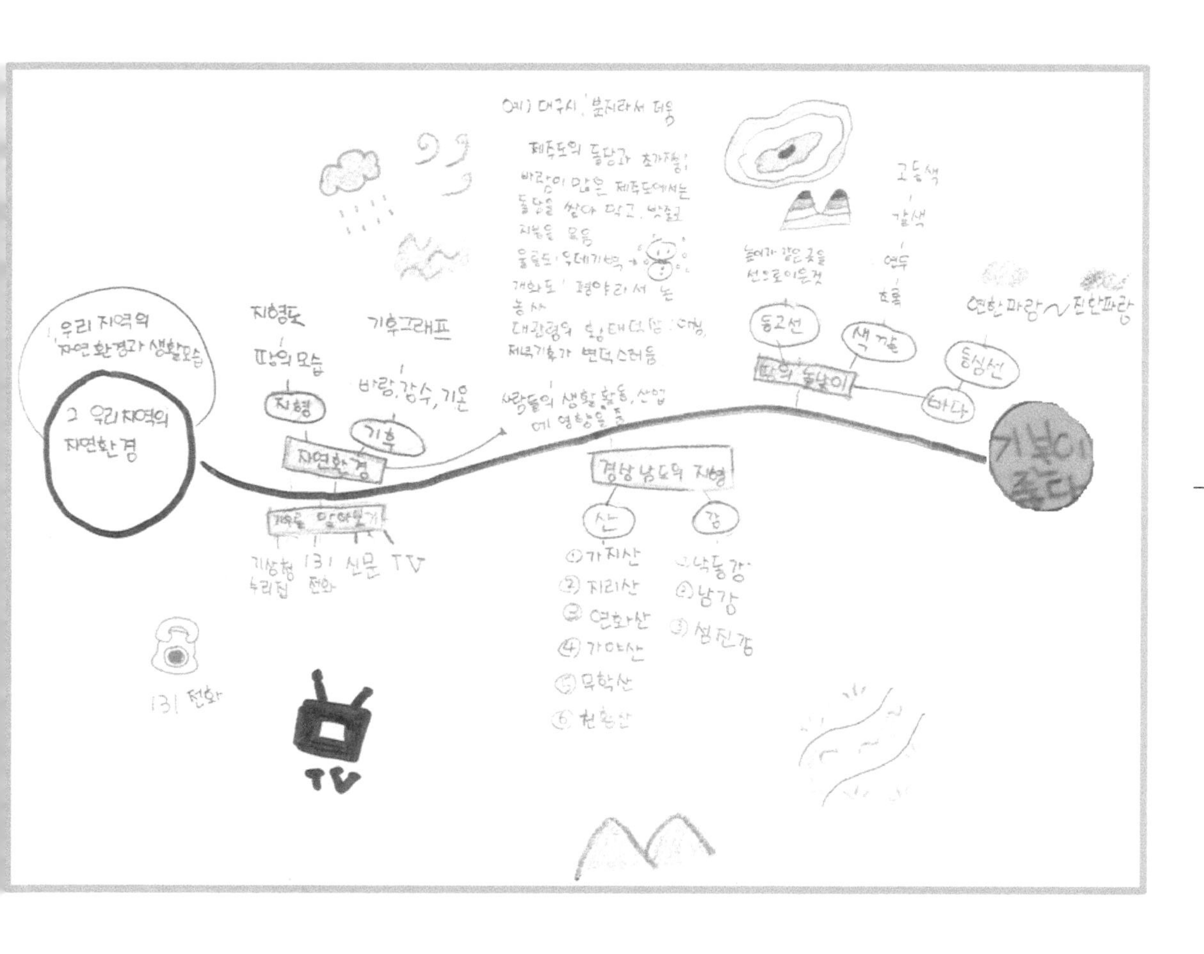

CHAPTER

08

문제해결력 향상을 위한 브레인트레이닝

SECTION_

01 목표 세우기 훈련

목표 세우기 훈련은 실행 목표 설정 및 계획 수립하기, 장·단기 목표 세우기 등으로 정리할 수 있다.

01 » 실행 목표 설정 및 계획 수립하기

하루, 1주일 등 실천 가능한 목표 세우고 구체적 계획을 세운다.

■ 하루 목표 설정 및 계획 수립 (1)

오늘의 목표 :

일의 내용	기한	중요	긴급	순위	실천여부 (%)

오늘 내가 느낀 점과 앞으로 실행할 점은?

■ 하루 목표 설정 및 계획 수립 (2)

오늘 나의 하루 목표는 무엇인가요?	
오늘의 좋은 글	
오전 목표 (구체적으로)	
오후 목표 (구체적으로)	
오늘목표달성 점수	

오늘을 보내며 잘한 점은	오늘을 보내며 반성할 점은?

■ 1주일 목표 설정 및 계획 수립 (1)

공부활동

꿈활동

건강활동

보상활동
(하고싶은 것들)

■ 1주일 목표 설정 및 계획 수립 (2)

일주일의 목표를 정해 봅니다	
일주일 목표 중 가장 중요한 일 3가지	
월요일	
화요일	
수요일	
목요일	
금요일	
토요일	
일요일	
목표달성 점수	
일주일을 보내며 잘한 점은?	일주일을 보내며 아쉬운 점은?

02 » 장·단기 목표 세우기

장기, 중기, 단기 목표를 세분화한다.

■ 장기, 중기, 단기 목표 세분화하기 (1)

내가 진짜 원하는 꿈을 위한 목표	
내가 닮고 싶은 사람?	
단기 목표 (3개월 이내 이루고 싶은 목표)	
중기 목표 (1년 이내 이루고 싶은 목표)	
장기 목표 (10년 이내 이루고 싶은 목표)	

■ 장기, 중기, 단기 목표 세분화하기 (2)

꿈을 이루기 위한 PDCA	
PDCA	내용
p 계획	Why-왜 What-무엇을 When-언제 How-어떻게
D 전략	공부 : 건강 : 즐거움 : 봉사 :
C 체크	달성여부 : 수정 및 보완할 점 :
A 행동	보상 :

자기 통제 훈련 02

자기 통제 훈련은 자신의 장점 찾아 강화하기, 자신의 단점 보완하기, 한계 극복 경험하기 등으로 정리할 수 있다.

01 » 자신의 장점 찾아 강화하기

자신의 장점을 찾고 서로 공유해본다.

■ 자신의 장점 찾기 (1)

나의 장점 찾기	
내가 잘 하는 것	내가 좋아하는 것
친구들과의 관계에서	가족들과의 관계에서

■ 자신의 장점 찾기 (2)

나의 장점은 무엇일까	
남에게 자주 칭찬 듣는 점	
내가 좋아하는 나의 모습	
내가 잘하는 것은?	

■ 짝과 공유해서 칭찬하기 (1)

짝과 공유해서 칭찬하기	
내가 잘 하는 것	내가 좋아하는 것
계획 세우기 스스로 하기 나에게 칭찬하기	친구들과 이야기하기 노래 듣고 부르기 여행하기
친구들과의 관계에서	가족들과의 관계에서
이야기 잘 들어주기 친절하게 말하기	엄마 잘 도와주기 동생 잘 놀아주기 심부름을 잘하기

■ 짝과 공유해서 칭찬하기 (2)

우리 서로 칭찬해요	
사랑하는 내 짝궁을 칭찬해	
나도 칭찬 듣고 싶어	

02 자신의 단점 수정 및 보완하기

자신의 단점을 찾아 단점을 수정 및 보완한다.

■ 자신의 단점 찾기

나의 단점 찾기	
바꾸고 싶은 습관	부정적인 생각
미루는 행동	친구나 가족들과의 관계에서

■ 수정 및 보완할 점 공유하기 (1)

수정 및 보완할 점 공유하기	
바꾸고 싶은 습관	**부정적인 생각**
핑계대기 화내지 않고 말하기 짜증 내지 않기	할 수 있다고 생각하기 틀려도 괜찮다고 말해주기
미루는 행동	**친구나 가족들과의 관계에서**
하루 일과표 세우기 시간 사용 점검하기	이야기 잘 듣고 말하기 기다려주고 배려하기 친절하게 행동하기

■ 수정 및 보완할 점 공유하기 (2)

어떻게 바꾸면 좋을까	
이렇게 바꿔보면 어떨까?	
친구야 나에게 조언해 줄래?	

03 » 한계 극복하기

신체 활동을 통한 한계를 극복하는 훈련이다.

▸ 신체 활동을 통한 한계 극복 훈련하기

실행 및 점검 훈련 03

실행 및 점검 훈련은 계획 실행하기, 실행 점검하기, 목표 재설정 및 실행하기 등으로 정리할 수 있다.

01 » 자신의 계획을 실천하기

목표로 설정한 계획을 생활에서 지속적으로 실천한다.

■ 일의 우선 순서대로 실천하기 (1)

일의 내용	기한	의미 (노력, 즐거움)	중요	긴급	순위

■ 일의 우선 순서대로 실천하기 (2)

일의 순서를 정해서 하나씩 차근차근		
	급한 일	급하지는 않은 일
중요한 일	A 즉시 처리해야 할 일	B 전략적 계획과 완료일 설정
중요하지 않은 일	C 축소하거나 다른 사람에게 도움요청	D 하지 않거나 연기해도 되는 일

■ 자신의 단점 극복 실천하기 (1)

단점이지만 괜찮아, 극복할 수 있으니까!!	
나의 단점 적어보기	
단점이지만 장점으로 바꿔볼까?	
그래도 이렇게 노력하면 더 멋진 내가 되겠지?!	

■ 자신의 단점 극복 실천하기 (2)

나의 단점을 인정해보기	
내가 가장 많이 듣는 피드백은?	
내가 바꾸고 싶은 나의 모습	
내가 잘 못하는 것은? (내가 어려운 점)	

02 실행 점검하기

자신이 실천한 목표의 달성 정도를 점검한다.

■ 목표 달성 여부 점검하기 (1)

일의 내용	기한	중요	긴급	순위	실천여부 (%)

■ 목표 달성 여부 점검하기 (2)

내가 목표한 것들, 얼마나 달성했지?		
내가 계획했던 목표를 적어보고 달성률을 체크해 보세요.		
중요도	실천 목표	실천여부 (%)
□		
□		
□		
□		
□		
□		
반성할 점과 잘한 점을 정리해 보세요.		

■ 시간 사용 점검하기

시간은 돈이자 인생			
오늘 하루를 돌아보며 낭비하고 있는 시간은 없는지 점검해 보세요.			
시각	오늘 한 일들을 순차적으로 적어보세요	사용시간	만족도 (○△×)

가장 시간 사용을 잘한 일은?	가장 낭비한다고 생각한 시간은?

03 » 목표 재설정 및 실행하기

목표 달성 여부에 따른 목표 재설정 및 실천하기

- 목표 재설정 및 계획 수립하기 (1)

하기

되기

갖기

돕기

■ 목표 재설정 및 계획 수립하기 (2)

목표 재설정과 계획 수립	
나의 목표를 점거해봅니다.	
초기목표	
어떤 긍정적 결과를 이루어 냈는가	
부정적 결과는 무엇인가	
앞으로 달성 가능성	
목표 재설정	
목표를 이루기 위한 계획 수립	
목표달성을 위한 나의 작은 습관	

■ 목표 실천하기

내가 원하는 것을 이루기 위한 나의 실천 노트		
생활습관	1단계	
	2단계	
	3단계	
학습습관	1단계	
	2단계	
	3단계	
운동습관	1단계	
	2단계	
	3단계	

■ 실천달력 만들기 (예시)

일	월	화	수	목	금	토
				1(삼일절)	2	3
				○ ○ ○	× × ×	× ○ ×
4	5	6	7	8	9	10
× × ○	× × ○	× × ○	× ○ ○	○ × ×	× ○ ×	○ × ×
11	12	13	14	15	16	17
× ○ ×	× × ×	× × ○	× × ○	× × ○	× × ○	○ ○ ×
18	19	20	21	22	23	24
25	26	27	28	29	30	31

•생활습관 : 7시 기상

•학습습관 : 독서 20장

•운동습관 : 1000보 걷기

CHAPTER

09

창의성 향상을 위한 브레인트레이닝

SECTION_

01. 두뇌 회로 훈련

02. 몰입 훈련

03. 내면의식 확장 훈련

01 두뇌 회로 훈련

두뇌 회로 훈련은 좌우 회로 훈련, 상하 회로 훈련, 8자 회로 훈련, 무한대 회로 훈련, 두뇌 통합 회로 훈련 등으로 정리할 수 있다.

01 » 좌우 회로 훈련

좌우 방향으로 회로 그리고 상상하기

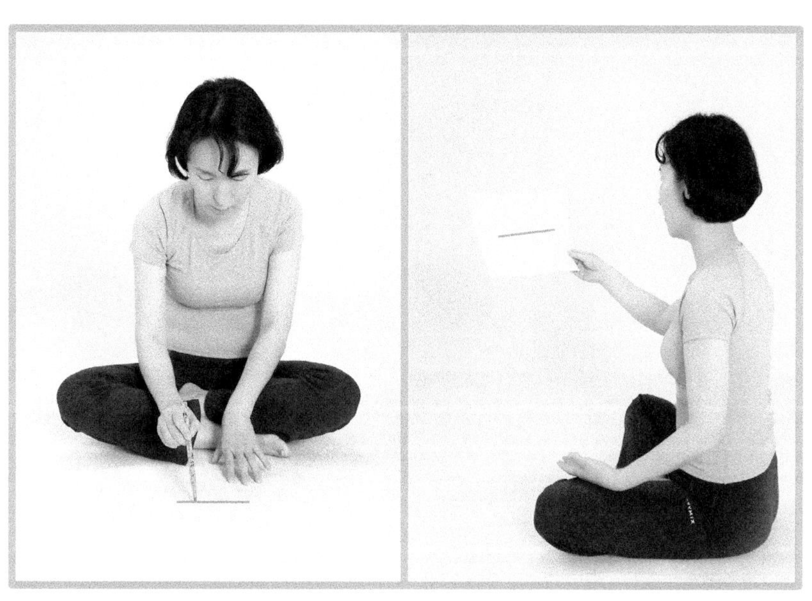

▸ 좌우 방향으로 색연필로 그리기 ▸ 좌우 방향으로 그린 선 바라보기

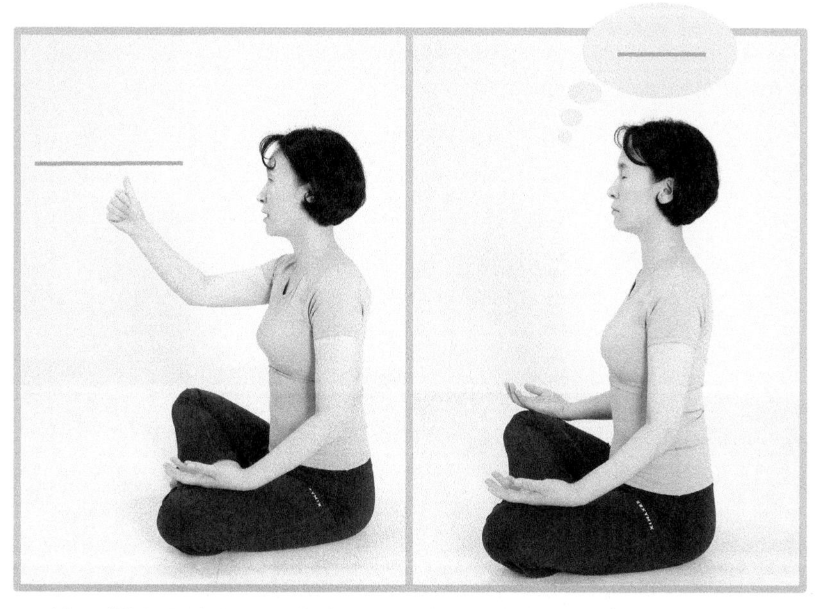

▸ 좌우 방향으로 손으로 그리기 ▸ 눈 감고 좌우 회로 상상하기

02 » 상하 회로 훈련

상하 방향으로 회로 그리고 상상하기

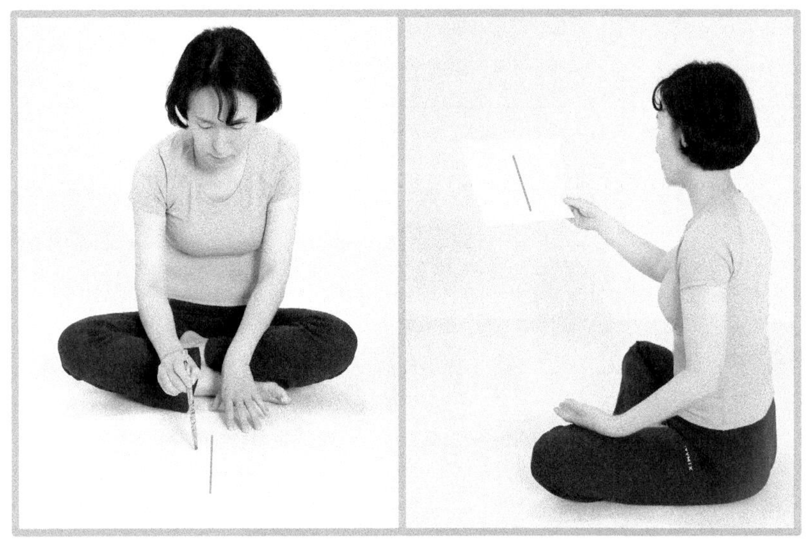

▸상하 방향으로 색연필로 그리기 ▸상하 방향으로 그린 선 바라보기

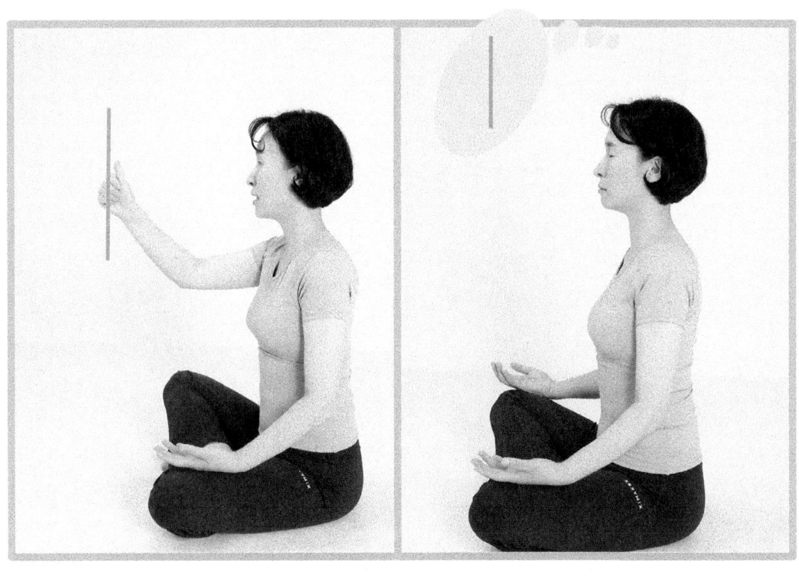

▸상하 방향으로 손으로 그리기 ▸눈 감고 상하 회로 상상하기

03 » 8자 회로 훈련

숫자 8자 모양으로 회로 그리고 상상하기

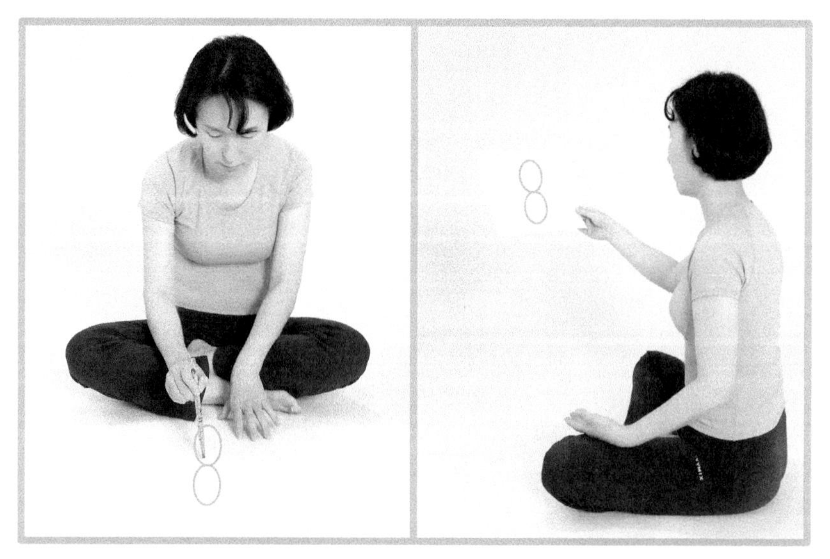

▸숫자 8자 모양으로 색연필로 그리기 ▸8자 모양으로 그린 선 바라보기

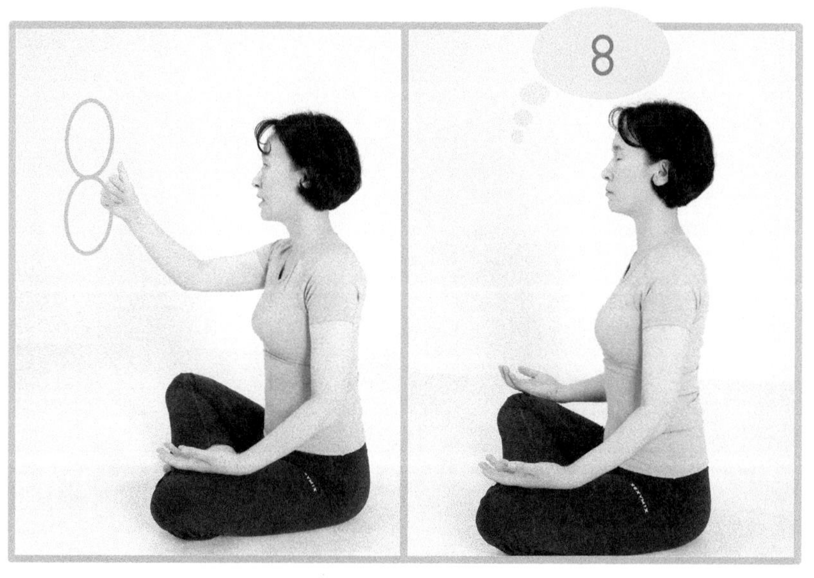

▸8자 모양 손으로 그리기 ▸눈 감고 8자 회로 상상하기

04 » 무한대 회로 훈련

무한대 회로를 그리고 상상하기

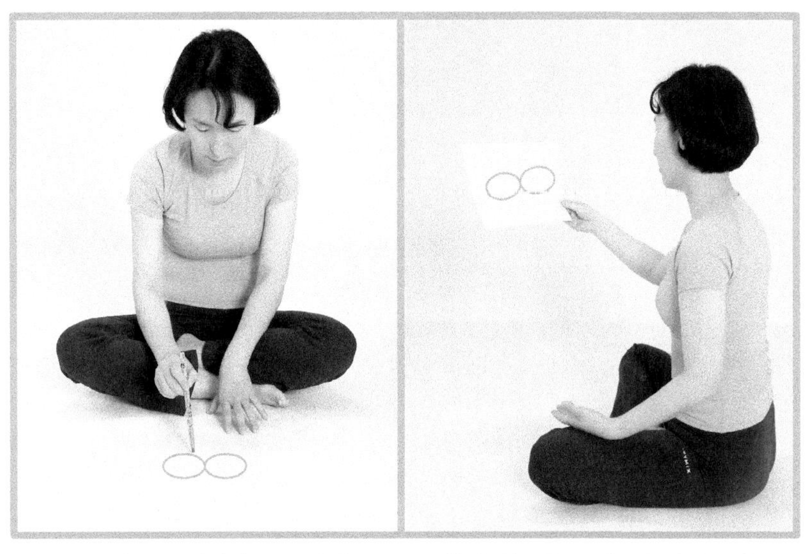

▸무한대 회로를 색연필로 그리기 ▸무한대 회로를 그린 선 바라보기

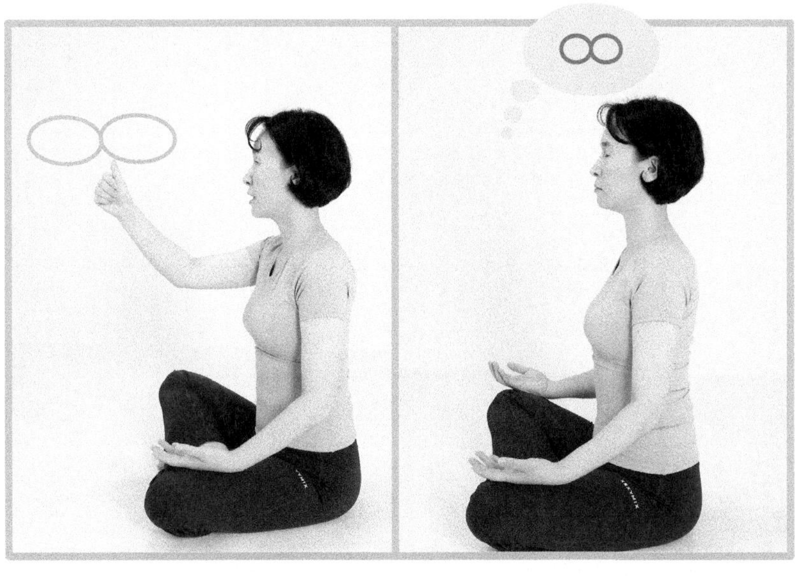

▸무한대 회로 손으로 그리기 ▸눈 감고 무한대 회로 상상하기

05 » 두뇌 통합 회로 훈련

양손으로 8자 모양과 무한대 모양을 연결해서 그리기

▸ 왼손으로 시계방향으로 8자 모양과 무한대 모양 연결해서 색연필로 그리기

▸ 오른손으로 시계 반대방향으로 8자 모양과 무한대 모양 연결해서 색연필로 그리기

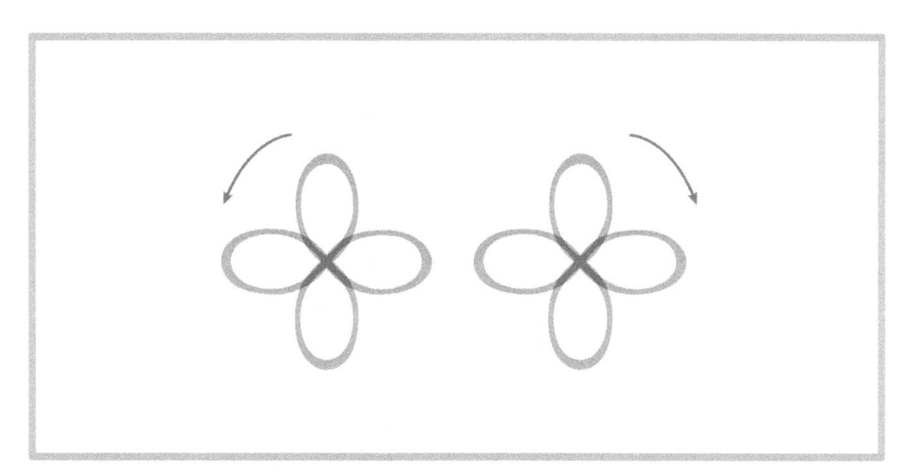

▸ 양손으로 8자 모양과 무한대 모양을 연결해서 색연필로 그리기

▸ 색연필로 그린 8자 모양과 무한대 모양을 바라보기

▸ 색연필로 그린 8자 모양과 무한대 모양을 손으로 그리기

▸ 8자 회로와 무한대 회로 연결해서 상상하기

몰입 훈련 02

몰입 훈련은 자석 에너지 집중 명상, 자석 세우기 등으로 정리할 수 있다.

01 » 자석 에너지 집중 명상

두 개의 자석으로 자기장을 만들어 에너지 느끼기

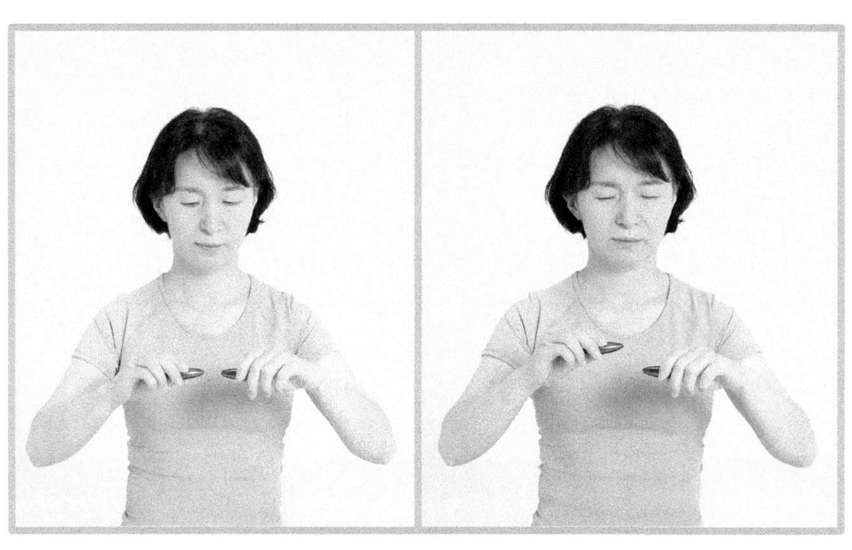

▸ 자석과 자석 사이 자기장 느끼기 ▸ 양손에 자석을 쥐고 돌리기

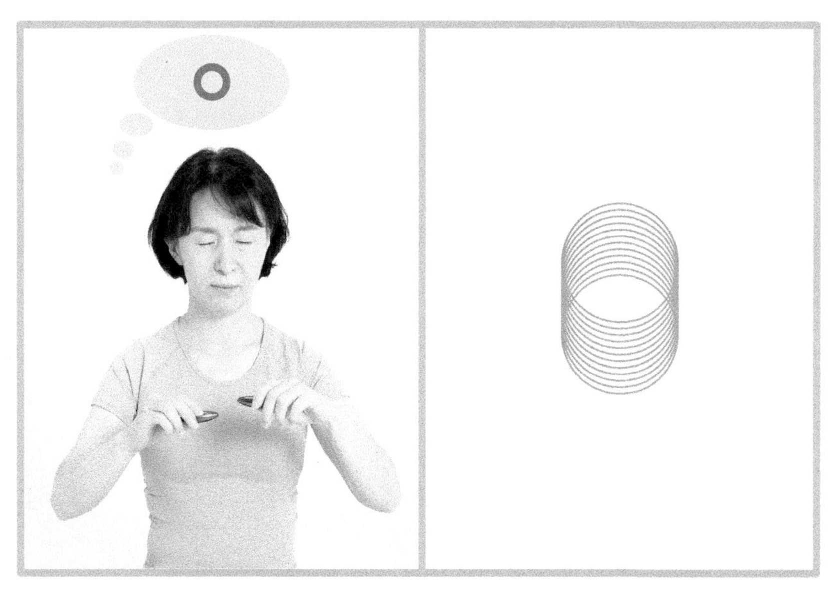

▸ 공간 감각의 모양 상상하기 ▸ 공간 감각의 모양을 표현하기

02 자석 세우기

호흡 조절을 통해 자석을 위아래로 세우기

▸ 호흡 조절하기

▸ 위아래 자석 사이의 자기장 느끼기

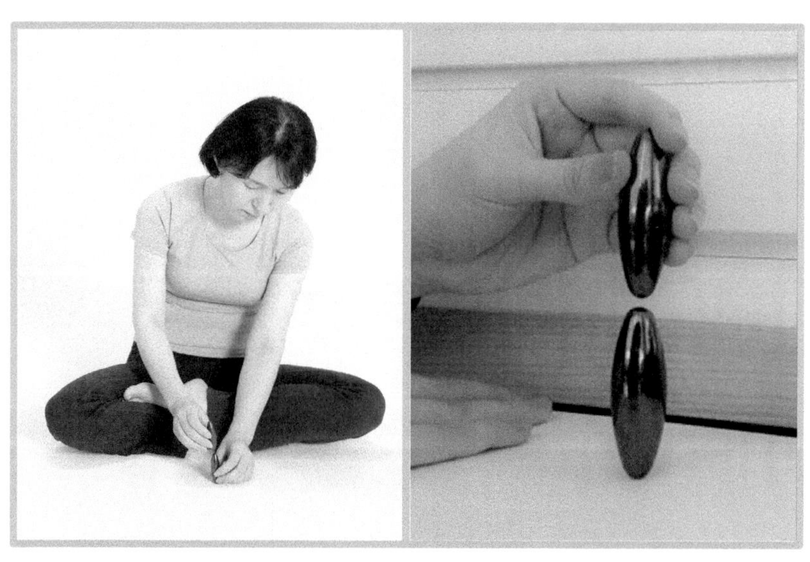

▸ 위아래로 자석 세우기

▸ 위아래로 세운 자석 유지하기

03 내면의식 확장 훈련

내면의식 확장 훈련은 자아존중감 향상 훈련, 공동체의식 향상 훈련, 세계시민 의식 향상 훈련 등으로 정리할 수 있다.

01 » 자아존중감 향상 훈련

자신의 가치를 알고 존중하기

■ 몸의 소중함 알기

내 몸의 소중함을 알아요!	
몸에 대해 이해하기	• 눈, 귀, 코, 입 :
	• 팔, 다리, 손, 발 :
	• 몸의 장기 :
	• 뼈, 근육 :
	• 뇌 :
내 몸이 나에게 소중한 이유는?	
소중한 몸을 위해 해야 할 것은?	

■ 자신의 가치 알기

자신의 가치를 알아요!	
자신의 강점은 무엇인가요?	
자신이 자랑스럽다고 느낄 때는 언제인가요?	
자신이 어떤 사람이라고 생각하나요?	

■ 자신의 잠재 가능성 알기

자신의 잠재 가능성을 믿어요!	
하고 싶은 것이 무엇인가요?	
본질적인 자신감을 키우는 방법은?	
선택하면 이룰 수 있는 실천 방법은?	

■ 자기 사랑하기

나는 나를 사랑합니다!	
자기 자신에 대해 이해하기	
자신을 사랑하기 위해 매일 해야 할 것은?	
나는 세상에서 가장 귀하고 소중한 사람이라고 생각하나요?	

02 » 공동체의식 향상 훈련

더불어 살아가는 세상 만들기

■ 타인의 소중함 알기

타인의 소중함을 알아요!	
타인의 존재에 대해 이해하기	
타인이 나에게 소중한 이유는?	
소중한 타인을 위해 내가 할 수 있는 것은?	

■ 타인의 가치 알기

다른 사람의 가치를 알아요!	
다른 사람은 나에게 어떤 존재인가요?	• 가족 : • 친구 : • 기타 :
다른 사람에게 감사함을 느낄 때는 언제인가요?	
다른 사람 없이 나 혼자 살아간다면?	

■ 타인에게 배려하는 삶 실천하기

배려하는 삶을 살아가요!	
다른 사람을 배려하는 삶에 대해 이해하기	
나는 다른 사람을 배려하는 삶을 살고 있는가?	
다른 사람을 배려하는 실천 방법은?	

■ 타인 사랑하기

나는 다른 사람을 사랑합니다!	
다른 사람에 대한 내 마음 이해하기	• 부모님 :
	• 친구 :
	• 기타 :
다른 사람을 사랑하기 위해 해야 할 것은?	
다른 사람에게 내 마음을 전달하기 위해 해야 할 것은?	

03 » 세계시민의식 향상 훈련

지구와 인간이 함께 살아가는 세상 만들기

■ 지구의 소중함 알기

지구의 소중함을 알아요!	
지구에 대해 이해하기	
지구가 나에게 소중한 이유는?	
소중한 지구를 위해 내가 할 수 있는 것은?	

■ 지구의 가치 알기

지구의 가치를 알아요!	
지구에 대해 이해하기	
지구와 나는 어떤 관계일까요?	
지구를 위해 자신이 실천할 수 있는 것은?	

■ 지구를 살리는 삶 실천하기

지구를 살리는 삶을 살아가요!	
현재 지구는 어떤 상황인지 이해하기	
나는 지구를 살리는 삶을 살고 있는가?	
지구를 살리는 실천 방법은?	

■ 지구 사랑하기

나는 지구를 사랑합니다!	
지구에 대한 내 마음 이해하기	
사랑하는 지구를 위해 해야 할 것은?	
지구와 함께 행복할 수 있는 방법은?	

신경가소성 향상을 위한

브레인 트레이닝

발행일 | 2021년 9월 2일

발행인 | 모흥숙
발행처 | 내하출판사

저 자 | 신재한 · 임운나

주 소 | 서울 용산구 한강대로 104 라길 3
전 화 | (02) 775-3241~5
팩 스 | (02) 775-3246

E-mail | naeha@naeha.co.kr
Homepage | www.naeha.co.kr

ISBN | 978-89-5717-542-2 (93180)
정 가 | 20,000원

* 책의 일부 혹은 전체 내용을 무단 복사, 복제, 전제하는 것은 저작권법에 저촉됩니다.

* 낙장 및 파본은 구입처나 출판사로 문의 주시면 교환해 드리겠습니다.